Como Trabalha
um Psicanalista?

◇ **Transmissão da Psicanálise**
diretor: Marco Antonio Coutinho Jorge

J.-D. Nasio

COMO TRABALHA UM PSICANALISTA?

Tradução:
Lucy Magalhães

Revisão técnica:
Marco Antonio Coutinho Jorge

14ª reimpressão

ZAHAR

Copyright © 1999 by Juan-David Nasio

Tradução autorizada da versão francesa revista pelo autor do seminário "Comment travaille un psychanalyste?"

Título original
Comment travaille un psychanalyste?

Capa
Sérgio Campante

CIP-Brasil. Catalogação-na-fonte
Sindicato Nacional dos Editores de Livros, RJ

N211c   Nasio, Juan-David
         Como trabalha um psicanalista? / J.-D. Nasio; tradução, Lucy Magalhães; revisão técnica, Marco Antonio Coutinho Jorge. — 1ª ed. — Rio de Janeiro: Zahar, 1999.
         (Transmissão da Psicanálise)

         Tradução de: Comment travaille un psychanalyste?
         ISBN 978-85-7110-514-0

         1. Psicanálise. 2. Psicanalistas. I. Título. II. Série.

                                              CDD: 150.195
99-0932   CDU: 159.964.22

Todos os direitos desta edição reservados à
EDITORA SCHWARCZ S.A.
Praça Floriano, 19, sala 3001 — Cinelândia
20031-050 — Rio de Janeiro — RJ
Telefone: (21) 3993-7510
www.companhiadasletras.com.br
www.blogdacompanhia.com.br
facebook.com/editorazahar
instagram.com/editorazahar
twitter.com/editorazahar

SUMÁRIO

I. A técnica analítica, 7

*

II. O caráter de analisabilidade, 30

*

III. A natureza da transferência, 56

*

IV. A seqüência dolorosa da transferência, 77

*

V. A contratransferência, 99

*

VI. A contratransferência e o lugar do analista, 120

*

VII. A interpretação, 140

*

VIII. A cura, 159

*

Índice geral, 171

*O que o paciente viveu
sob a forma de transferência
nunca mais esquecerá.*
Sigmund Freud

I
A técnica analítica

> *O analista dirige o tratamento
> e o tratamento se produz.*

Abertura

Retomo meu seminário em seu décimo ano. Faz uma década que inaugurei este ensino destinado aos analistas, na Escola Freudiana de Paris, em 1977 e 1978. Naquela época, estava preocupado em demonstrar e justificar a seguinte tese: acreditava, e ainda acredito, que a posição do psicanalista é tal que se aproxima, no limite, de uma posição feminina, que então eu chamava de "posição feminina do psicanalista". Hoje, daremos um passo à frente e falaremos do analista, mas agora do analista que está instalado no lugar a partir do qual ele poderá dirigir um tratamento.

O título que pensei para este seminário — "A direção do tratamento" — retoma o de um texto de Lacan que se encontra nos *Escritos*, "A direção do tratamento e os princípios de seu poder".

Na transcrição dessas reuniões, minha intenção é chegar até os mecanismos íntimos do trabalho do psicanalista em seu próprio campo, e assim demonstrar que *o psicanalista trabalha, antes de tudo, com o seu inconsciente*.

A caricatura do analista eternamente silencioso, sugerindo que a análise se desenrola ao sabor da fala, é uma visão incorreta. É uma caricatura errônea do nosso trabalho de analista e lhe é nociva. O que desejo demonstrar neste ano é que nós, analistas, trabalhamos **ativamente**, de uma forma que não consiste simplesmente em deixar que a palavra surja. Quero dizer que temos perspectivas, expectativas, objetivos, decepções, porque estamos na posição muito precisa que podemos chamar "de política, de estratégia e de tática", como diz Lacan no seu texto.

O analista dirige portanto o tratamento. Mais do que uma volta a Freud, como Lacan proclamou na sua época, damos agora o sinal de uma volta à afirmação de que o tratamento se conduz e se dirige.

Parece-me necessário, atualmente, retomar os princípios de nossa ação, ver como esses princípios evoluíram de Freud até nossos dias e considerá-los em sua atualidade de hoje.

Nesta noite, portanto, vamos abordar a questão muito geral dos momentos do desenrolar do tratamento, das diferentes fases de um tratamento. E em um segundo tempo, lembrarei as origens da técnica psicanalítica, isto é, as origens no nível do método catártico.

Mas, antes de começar, desejaria formular algumas perguntas, que talvez muitos já estejam imaginando: como se pode dizer que o analista dirige o tratamento? Como se pode falar de política, de estratégia, de tática? Isso soa de maneira diferente em relação aos termos e conceitos com os quais estamos habituados a pensar e refletir?

Se definirmos a técnica de modo tradicional, como o conjunto dos meios aplicados a uma matéria com a intenção de obter-se um objetivo, deveremos imediatamente dizer e concluir que essa concepção tradicional da técnica não é aplicável à psicanálise por duas razões. Em primeiro lugar: qual a maneira pela qual se aplicariam os meios da técnica? Precisamente, no caso da psicanálise, essa matéria é **o desejo do analisando**. E essa matéria, o desejo do analisando, **é idêntica ao desejo do operador**. Como se o operador, na técnica psicanalítica, devesse **operar sobre si mesmo**. A segunda razão que faz com que não possamos aplicar essa definição tradicional da técnica à psicanálise é que os meios técnicos não são, como habitualmente acontece em outras disciplinas, exteriores aos processos sobre os quais esses meios operam. Esses meios — por exemplo, uma intervenção analítica — não são exteriores: são a expressão de um processo. A intervenção de um psicanalista durante uma sessão não é um meio que vem do exterior para agir sobre o processo analítico, mas deve ser considerada como a manifestação daquilo que ocorre nessa relação.

Não podemos pensar a técnica psicanalítica apoiada sobre uma concepção instrumental desta. Entretanto, existe uma técnica de direção do tratamento. Mas esta não deve ser considerada como um instrumento manobrável, um meio de domínio. Repito: enquanto imaginamos a técnica como um meio para operar, ficamos capturados pela vontade de dominá-la e passamos ao largo da própria essência dessa técnica.

Qual é a essência dessa técnica? A essência dessa técnica analítica é o fundo estável que se decanta no psicanalista, à medida que a técnica instrumental é aplicada. A obtenção desse fundo estável significa a criação, no psicanalista, de um estado particular de **expectativa**, de uma expectativa escolhida, de uma disposição orientada, polarizada na realização de uma experiência singular.

Todo analista está disposto para alguma coisa. Essa coisa é uma experiência singular: saber perceber fora de si mesmo, em si o que é exterior de modo inconsciente, o inconsciente na análise. Isso quer dizer que a essência reside no desejo do operador, que jaz nele quando pratica o seu ofício.

Aqui, estamos diante de uma aparente contradição. Por um lado, digo em tom urgente que é preciso dirigir o tratamento. E por outro lado, digo que não se deve cair no domínio. A contradição pode se resolver, por uma atitude lúdica, humorística, como se devêssemos brincar com nós mesmos e fazer semblante de ocupar-nos, fazer semblante de dirigir, estudar seriamente a técnica, esperando secretamente que a verdade na análise irrompa em nós, nos perturbe, nos surpreenda e ponha um limite ao suposto domínio da nossa ação. É então que a verdade aparece no analisando.

Montar o cenário para que a verdade apareça

Em suma, é preciso ser o mais atento estudioso da técnica, o melhor conhecedor do princípio da técnica, para ter principalmente a liberdade de ser o mais inconsciente dos sujeitos, o mais inocente, o mais desarmado, o mais exposto aos efeitos do inconsciente. Pois é então, numa surpresa pontual, numa perturbação, numa vertigem, que nós analistas temos uma ocasião de fazer a experiência da análise e levar o analisando a atravessar essa experiência, isto é, como veremos, a vir a ocupar um lugar nesse momento da experiência: o lugar do objeto que causa essa experiência, o lugar do objeto que fala do inconsciente, de uma verdade inconsciente.

É preciso dirigir o tratamento. É preciso assumir inteiramente esse papel e, ao mesmo tempo, saber que o objetivo que queremos perseguir, não o atingiremos dirigindo o tratamento. Nós o atingiremos fora dessa direção, fora dessa técnica. Com Lacan, diríamos: ocupar o lugar do semblante do domínio, isto é, o lugar do semblante da direção, o semblante de ser o mestre, sem esquecer que se trata apenas de um semblante. É então que haverá para nós uma ocasião de sermos tocados por uma verdade que seja, ao mesmo tempo, uma verdade para o analisando.

Isto posto, devo ainda completar a definição da essência da técnica. Ela não é apenas um fundo estável que se decanta em cada analista, a cada dia, historicamente há oitenta anos, isto é, desde o nascimento da psicanálise. O divã, a poltrona, a regra fundamental, todos os elementos característicos do processo analítico se tornaram, com o tempo, uma espécie de constante invariável com a qual se identificou o psicanalista.

A técnica psicanalítica é hoje um dos traços distintivos, um Ideal do Eu, no qual reconhecemos nossa identidade de analista. É um Ideal do Eu que deve ser preservado cuidadosamente, firmemente, e que deve durar além de nós se, na verdade, desejamos que essa experiência que é a nossa também perdure.

Foi nesse sentido que decidi fazer este seminário sobre a técnica, para que possam perceber até que ponto a técnica é um Ideal do Eu, até que ponto a técnica é um elemento com o qual recuperamos a nossa identidade. É também um modo de pensar que qualquer gesto técnico, por exemplo a enunciação da regra fundamental, que um analista possa dirigir ao seu paciente quando das primeiras entrevistas, que por esse gesto, por essa formulação, o psicanalista veicule o ideal da análise, veicule a psicanálise como um ideal, inscreva-se e inscreva seu paciente numa filiação simbólica. Dirigir o tratamento significa orientá-lo para um ponto particular de ruptura radical que por nós é chamado de "experiência".

*

Muitos neste auditório sabem que distingo o tratamento da experiência analítica. Existe o tratamento analítico: é o conjunto do caminho que o analista e o analisando seguem. E há momentos de ruptura, momentos radicais que chamamos de "experiência". A direção do tratamento, pois, é conduzida para esse ponto de experiência. É o ponto de experiência que Ida Macalpine e Lacan designam como "seqüência transferencial", "seqüência da transferência". Logo, é preciso orientar de uma certa maneira o processo da análise em função de um objetivo e de acordo com um índice, com uma referência. O objetivo mais imediato é fazer surgir a seqüência da transferência. E o índice é oferecido pelas diferentes modalidades da fala do analisando. Mais exatamente, o índice que nos permite conduzir esse tratamento é constituído pelas diferentes modalidades das demandas do analisando.

Digamos desde logo que, nesse ponto de ruptura que chamamos de "seqüência transferencial", nesse momento de transferência, o analista deixa a posição de direção do tratamento, abandona a posição de domínio, a partir da qual ele dirigia o tratamento, até então. Nesse momento, ele ocupa outro lugar: o de objeto de transferência. Isso significa que a condução de uma análise pode orientar-se segundo diferentes momentos ou diferentes fases do tratamento, que serão momentos separados, divididos de acordo com um critério que é aquele do tipo de relação que o analisando tem com a sua fala. Voltaremos detalhadamente a cada uma dessas fases.

Quais são as diferentes fases do tratamento? As fases do tratamento, tal como as apresentarei hoje, representam um esquema muito depurado, muito simplificado, que me permite trabalhar neste primeiro seminário à maneira de uma introdução.

As diferentes fases do tratamento: retificação subjetiva, sugestão, neurose de transferência e interpretação

Esquematicamente, podemos distinguir **quatro fases** no desenrolar temporal de um tratamento. O verdadeiro interesse de destacar essas quatro fases é reconhecer o lugar central de cada uma delas.

Primeira fase: é a que podemos chamar de **"fase de retificação subjetiva"**. Ela ocorre durante a primeira ou as primeiras entrevistas, no quadro do face-a-face com o paciente.

Particularmente no fim da primeira entrevista e na seguinte, introduzimos o paciente a uma primeira localização da sua posição na realidade que ele nos apresenta. Ele pode nos falar de sua realidade, inscrita numa família, num casal, numa situação profissional. O que nos importa, principalmente, se refere à relação que a pessoa que faz uma consulta mantém com os seus sintomas. É sobre esse ponto que intervirá o que chamamos de "retificação subjetiva".

Essa relação com os sintomas é uma relação de sentido. O paciente dá um sentido a cada um dos seus sofrimentos, a cada um dos seus distúrbios. E é nesse nível, no nível do sentido, que temos que fazer a nossa primeira intervenção, chamada por nós, segundo a expressão de Ida Macalpine e Lacan, de "retificação subjetiva".

O que quer dizer "retificação subjetiva"? Isso significa que intervimos no nível da relação do Eu do sujeito com os seus sintomas. É por isso que, quando da primeira entrevista, e particularmente nas seguintes, parece-me essencial (e insisto muito nesse ponto) discernir bem o motivo da consulta, a razão pela qual o paciente decidiu recorrer a um psicanalista. Eu não deveria dizer "recorrer a um psicanalista", mas "recorrer a um terapeuta". Porque, se o paciente solicita uma consulta e se já consultou um psiquiatra, por exemplo, outro psicanalista, ou mesmo se, na infância, seus pais o levaram a um médico, o que importa é o primeiro momento no qual ele veio consultar ou que o levou a consultar.

Em outras palavras, o sentido, isto é, a relação do Eu com o sintoma, se decide principalmente na relação com o primeiro gesto, com a primeira decisão de recorrer a um outro. É nesse nível que vamos intervir, produzir, introduzir essa retificação subjetiva.

Sempre digo que, na primeira entrevista, há uma demanda maciça por parte do paciente. E é no fim dela que tenho o hábito de lhe dizer: "Bem, vamos parar por aqui a nossa conversa, mas antes eu gostaria de lhe dar a minha impressão, com todos os riscos que isso implica, já que eu não o conheço."

O que significa "a minha impressão"? "Minha impressão" quer dizer dar uma resposta, que consiste em restituir ao paciente alguma coisa da relação que ele tem com o seu sofrimento. Isso é intervir sobre o próprio ponto em que ele o explica, e é levar em conta a maneira pela qual ele o faz, a teoria que ele tem sobre isso, o porque do seu sofrimento e como ele sofre.

Pode ocorrer, por exemplo, que essa intervenção se refira, especialmente, ao problema do desejo parricida no caso dos homens. Não é apenas um automatismo do pensamento, é simplesmente porque, à luz das intervenções desse tipo, sempre existe um elemento presente, basal, fundamental na teoria analítica: o desejo de matar o pai. Isso e tudo o que decorre como sentimento inconsciente de culpa acontece principalmente com os homens. Certamente, voltarei a essa questão nos próximos seminários. Tenho a intenção de fazer, durante o ano, uma exposição sobre a transferência e a contratransferência, outra sobre a interpretação e, eventualmente, sobre as entrevistas preliminares, o problema da cura, o problema da reconstrução, enfim, todas as diferentes questões maiores da técnica analítica.

Voltemos à primeira fase de retificação subjetiva. O que está claro é que devemos distinguir bem o motivo pelo qual o paciente vem nos consultar, durante as primeiras entrevistas, da demanda implícita presente na análise. Essa demanda implícita, precisamente, nunca é explicitada. Pode ser o desejo, a demanda de curar, a demanda de ter a lhe mostrar, revelar o que ele mesmo é. Pode ser uma demanda de qualificar-se como analista, de conseguir ser analista e de que essa análise seja para ele um modo de consagrar-se como tal. Há muitas demandas implícitas desse tipo, que não apenas estão presentes nesse momento, nessa fase de retificação subjetiva, mas que estarão presentes ao longo de toda a análise. Elas vão variar em função do desenrolar, do evoluir do tratamento. Devemos distinguir bem essa demanda implícita das outras demandas, das quais falaremos depois.

Segunda fase: é a fase inicial. Diria que é a fase constituída por dois Atos psicanalíticos fundamentais, os dois Atos psicanalíticos maiores entre todos aqueles que um analista pode realizar: em primeiro lugar, o Ato — digo realmente "Ato" — de aceitar analisar o paciente, e em segundo lugar, o Ato de enunciar a regra fundamental. Através desses dois Atos, o analista transmite ao paciente, nesse primeiro momento, a sua própria relação simbólica com a psicanálise, sem que ele se dê conta disso. Ele transmite nesses dois Atos, e através deles, a relação que ele tem com a história da psicanálise, com os escritos psicanalíticos, com os ideais e até com a coletividade psicanalítica.

Mas principalmente, através desses dois Atos, veicula a experiência que ele mesmo teve com sua própria análise e, quando é o caso, especialmente a experiência de ter terminado essa análise. Isso é essencial na instauração desse quadro transferencial.

Isso não é a transferência, mas é o que podemos chamar de "quadro transferencial" ou "sugestão". Essa relação do analista com a psicanálise, veiculada nesses dois gestos, será o primeiro objeto de transferência com o qual o analisando terá que se confrontar: a relação do analista com a psicanálise. Essa relação vai ser concretizada através do simples gesto de dizer-lhe: "Sim, eu me interesso, quero analisá-lo, quero que trabalhemos juntos, quero que estejamos juntos durante um tempo."

O segundo Ato é o de enunciar a regra fundamental. Dizer: "A partir da próxima vez, eu prefiro — ou eu gostaria — que você se deitasse no divã e depois falasse sem restrições e até sem parar de tudo o que lhe vier à cabeça." Em geral, essa frase é dita no momento das primeiras entrevistas. No meu caso, eu a digo no fim de uma entrevista preliminar, visando uma próxima vez, durante a qual o paciente começará a sua primeira sessão deitado.

A respeito dessa frase, se me perguntassem: "Como dizê-la?", eu responderia: pensem nos modos e tipos de relação que cada um de vocês tem com a análise, com a comunidade analítica, com os colegas, os textos, os ideais, e assim vocês falarão em função dessa relação. E o analisando perceberá perfeitamente esse tipo de relação. É o que eu queria dizer há pouco, ao falar do fundo estável da técnica. A essência da técnica está ali; segundo a relação que cada um tem com a psicanálise, ele intervirá de uma ou de outra maneira. Até na inflexão, no tom de voz, na maneira de dizer, na postura, na maneira de sentar-se. Isso é perfeitamente detectável pelo analisando e se tornará o seu primeiro objeto transferencial. Insisto: **qual é o primeiro objeto transferencial?** Não é o analista. **É a relação do psicanalista com a psicanálise.** Pois bem, esse objeto transferencial terá um efeito determinante em relação ao aparecimento e ao desaparecimento dos sintomas.

Isso é muito freqüente. Muitos dos que praticam a análise sabem disso. Muitas vezes acontece que, ao fim de alguns meses, e até de algumas semanas, o paciente nos diz: "É incrível, sinto-me muito bem. Muitas das razões pelas quais vinha consultá-lo desapareceram." E até há pacientes que decidem abandonar a análise por causa desse desaparecimento dos sintomas. É o que chamaríamos de "objeto de transferência". Mas, ao invés de dizer "objeto de transferência", deveríamos dizer "objeto de sugestão". E esse "objeto de sugestão" terá um efeito sobre os sintomas, sobre o real da vida do analisando.

Quando falarmos das transferências, veremos a diferença entre transferência e sugestão. Esse objeto de sugestão é um objeto de sugestão inconsciente, isto é, intervém sem que o analisando nem o analista percebam.

Efetivamente, essa é uma fase na qual a expectativa por parte do analisando domina. É uma expectativa aberta. É uma fase nas primeiras sessões, nos primeiros tempos do início. É o tempo da demanda de amor. É uma demanda de amor aberta e suscitada pelo quadro transferencial, o quadro da análise, isto é, pelo caráter ritual das sessões, pela regra que você enunciou, pelo silêncio e pela presença discreta do analista durante esse período e por esse objeto de sugestão que acabo de distinguir.

Todos esses elementos: quadro, regra, silêncio e objeto de sugestão, suscitam e mantêm a fala do paciente como uma fala em expectativa, como se ele falasse esperando. É perfeitamente visível e detectável. É o que se chama de "demanda de amor". Não é uma demanda de amor ao analista, como às vezes se pensa. É uma demanda de amor no sentido em que é uma fala de promessa. Estamos no momento da promessa. "O amor" — conhecemos a definição de Lacan — "é dar o que não se tem". Dar o que não se tem quer dizer simplesmente prometer. Dou o que não tenho, quando prometo. Durante esse período, o analisando vive na expectativa dessa promessa aberta, desse amor aberto que a análise significa. Não é uma demanda de amor ao analista. O analista não é o objeto de amor nesse momento. É uma demanda de amor no sentido de uma fala em expectativa. Essa demanda de amor se manterá enquanto o analisando não descobrir que, finalmente, é uma demanda inaceitável. Enquanto isso, a sugestão se instala. Essa segunda fase de que falamos é a fase da sugestão ou fase da demanda de amor.

Em certo momento, Lacan retoma outro autor, Fénichel, que dizia aos analistas: "O analisando, durante esse período, fala sem falar com você." Sim, o analisando fala sem falar com você, mas eu acrescentaria: esperando a promessa que a psicanálise encerra.

Temos a primeira fase de retificação subjetiva e a segunda fase de sugestão.

Terceira fase: É o momento mais fecundo do tratamento analítico. É o momento mais fecundo, mais doloroso, e é o momento que os analistas, em geral, resistem também eles a abordar ou a experimentar.

Aqui, há como que uma espécie de cumplicidade entre o paciente e o analista, para evitar chegar a esse terceiro momento, que é o momento da transferência. Nesse momento, a demanda de amor sofre decepção. É uma demanda que vai descobrir a sua carência, o seu caráter inaceitável, como eu disse há pouco, e vai se transformar em outra demanda, mais rara, uma fala mais pura mas, principalmente, passional. É o momento fecundo, doloroso e passional da análise. Passional, mas não apenas de amor passional; é um momento de violência, agressividade, ódio e profunda ignorância passional.

Sabemos que Lacan define e classifica a paixão de acordo com uma concepção hindu. Existem três tipos de paixão: o amor, o ódio e a ignorância. Nesse momento fecundo da análise, doloroso e passional, o amor que está ali não é o amor da demanda de amor. É um amor que fere. É o amor da decepção, aquele que pode se tornar erotomania. Esse momento fecundo — ao qual voltaremos amplamente nos próximos seminários, quando falarmos da transferência — esse momento se caracteriza pela emergência, pelo retorno do recalcado dos significantes ligados às pulsões. Esse é um primeiro modo de dizer. Há uma conjunção entre vários elementos. É como se esse momento de transferência fosse o mais próximo, mais no centro, mais no coração do Eu. Ora, o elemento mais no coração do Eu é o Gozo que jaz no centro do Eu. Por assim dizer, haveria: a primeira fase, a demanda de amor; a segunda fase, o objeto de sugestão; a terceira fase, quando a demanda de amor se torna uma demanda mais pura.

O que quer dizer "demanda mais pura"? É o aparecimento, nesse momento, de representações, de significantes, aos quais certas pulsões estão ligadas. É o aparecimento da Demanda com um D maiúsculo. Freud, falando da resistência, dizia: "Quanto mais nos aproximamos do núcleo patógeno, mais forte é a resistência." O "núcleo patógeno" — vamos retomar a imagem — seria o cerne do Eu. Ele considera o Eu como uma instância composta de múltiplas imagens produzidas por identificações imaginárias. E, no centro do Eu, algo que não é o Eu, um elemento que seria o Gozo que habita no Eu, o verdadeiro objeto do Gozo, situado no centro do Eu. O momento da transferência ocorre quando todas essas camadas imaginárias desaparecem e só resta a última camada, a mais próxima desse objeto. Ao invés de dizer: a última camada, a mais próxima do objeto, também poderíamos dizer: a demanda mais pura, mais representativa da pulsão recalcada. É então que aparece a demanda mais pura, a imagem mais próxima do objeto no centro do Eu, quando nada mais existe do Eu. É então que surgem os elementos passionais do amor, do ódio e da ignorância. Esses momentos são os mais dolorosos para o paciente e para o analista. Para nós, é difícil aceitar tomar esse caminho. É muito mais aceitável, muito mais fácil no nosso trabalho, mantermo-nos na etapa da fase que chamei de "sugestão da demanda de amor", evitando abordar essa experiência particular da transferência.

Justamente no texto que citei, "A direção do tratamento", publicado nos *Escritos*, Lacan critica os analistas da época, por volta de

1958, que ele chama "do instituto", dizendo que as teorias destes sobre o tratamento e sobre o Sujeito — o Sujeito do Inconsciente — lhes serviam para evitar esse momento doloroso da seqüência transferencial. Mas essa não é uma crítica destinada unicamente àqueles analistas. Não é uma questão de polêmica. É uma questão que se levanta para cada um de nós, no momento da conduta, quando da relação com cada um dos nossos analisandos. É nesses momentos fecundos de transferência dolorosa — a expressão "transferência dolorosa" é uma expressão freudiana a respeito do Homem dos Ratos — que o analista vai ocupar o lugar do objeto, desse núcleo no cerne do Eu. O analista, diante dessa experiência do momento transferencial, deixa o lugar de intérprete. Deixa o lugar onde tem que assumir o papel de dirigir o tratamento e onde se defronta com o fato de vir a esse lugar atribuído pelo paciente, que é o lugar do objeto desse núcleo no cerne do Eu.

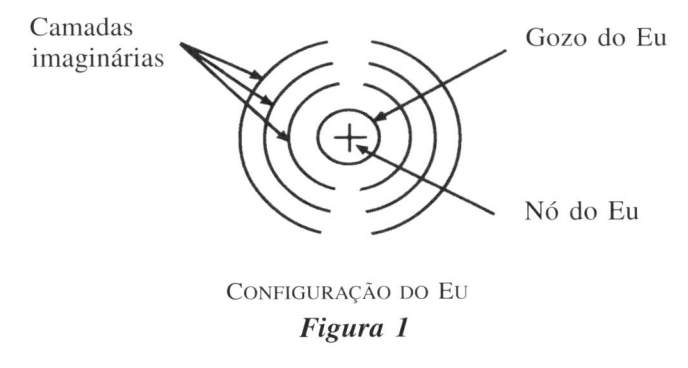

Camadas imaginárias

Gozo do Eu

Nó do Eu

CONFIGURAÇÃO DO EU
Figura 1

Esse momento é tão transcendente que essa apresentação das quatro fases do tratamento só tem valor para situar bem essa seqüência transferencial.

Um tema ligado a essa relação com o momento transferencial é a questão das resistências. O conceito de resistência foi essencial na evolução da teoria da técnica analítica. Foi um conceito-chave.

O que é a resistência, nesse momento? É uma resistência que Lacan enuncia como sendo uma resistência dos analistas, ou dizendo que a resistência é a do analista. A resistência do analista é a de não querer chegar a esse momento passional da seqüência transferencial. Primeira acepção da palavra "resistência": a do analista. Há uma segunda acepção, é a resistência do Eu. A palavra "resistência" está sempre em relação com o Eu. É um fenômeno no nível das camadas imaginárias. A resistência do Eu é aquela que este opõe para não viver a experiência de abertura do Eu até o objeto de Gozo, que jaz em seu cerne, no seu centro. É o momento mais fecundo da análise. É o momento em que o analisando tem uma oportunidade de "ser privado de". Os analistas lacanianos são muitas vezes considerados como aqueles que frustrariam seus pacientes. Na verdade, Freud menciona claramente ao longo da sua obra a idéia de que a análise se desenrola numa atmosfera de privação. Pois bem, essa atmosfera de privação, de frustração, não tem nada a ver com a dor desse momento de seqüência transferencial. Uma coisa é a demanda de amor ser inaceitável; outra é senti-la, experimentá-la, fazer a experiência de ter que revelar o ponto central, o núcleo do Eu, isto é, o ponto no qual o objeto enquanto tal aparece na superfície.

É o que, na teoria lacaniana, se pode chamar de "falta a ser". O sujeito, o analisando, é confrontado não só com a inaceitabilidade da demanda de amor, mas também é confrontado com a **falta a ser**. Isso quer dizer que o seu ser é uma falta, que seu verdadeiro ser na análise não é ele, o seu Eu: é o que jaz no Eu. **O que jaz no centro do Eu é uma falta**. É um ponto fundamental, enigmático. É um ponto central, aquele que chamamos habitualmente, na terminologia lacaniana, de objeto "a" ou objeto de Gozo.

Nesse momento de seqüência transferencial, nesse momento fecundo, o analista deve silenciar. Deve fazer silêncio e, como sabemos, há várias formas de silêncio. O analista deve fazer **"silêncio-em-si"** para fazer surgir o Grande Outro. É nesse momento que o analista faz com que surja o Grande Outro. Para que ele surja, é necessário que o analista faça silêncio em si. **Se o analista faz ativamente silêncio em si, é ele que dirige o tratamento.** Se não o faz, ignora quem conduz o tratamento nesse momento.

Voltemos agora, sob outra formulação, ao que eu dizia no começo deste seminário: preocupar-se em conduzir o tratamento, sabendo que o que importa não é dirigi-lo. O que importa é o **nosso próprio desejo** e essa **capacidade** que temos de **fazer silêncio em nós mesmos**.

Quarta fase: a última fase é a da **interpretação**. Poderíamos dizer que a transferência, a fase de transferência, é a análise. O aparecimento desse momento transferencial já significa a análise em Ato da fase de sugestão. Em outros termos: a passagem da demanda de amor para a demanda mais pura significa, mesmo sem a intervenção do analista, que ele praticou a análise da sugestão e sua transformação na transferência. A transferência é a análise da sugestão e, por conseguinte, a interpretação é a análise da transferência. Temos assim três momentos:

> Sugestão — momento transferencial — interpretação do momento transferencial.

A interpretação do momento transferencial se realiza com a condição de fazermos esse silêncio em nós, a fim de que surja o grande Outro para o paciente. Esse grande Outro pode até tomar a forma de uma interpretação.

Temos então as quatro fases que podem marcar o desenrolar de um tratamento. Naturalmente, não são quatro fases que podem ser descobertas ao longo de um tratamento. Esses quatro momentos históricos não se separam: são quatro fases, que se superpõem entre si e há uma outra, a última, de que não falaremos hoje, que é a do fim do tratamento.

Devo acrescentar um aspecto que é muito ligado ao que vamos tratar agora, que é a instituição, nesse momento, daquilo que se convencionou chamar de "neurose de transferência". Por ocasião desse momento fecundo da análise, vão aparecer sintomas novos, próprios da relação analítica. Freud diz: uma nova neurose artificial substitui a antiga neurose original, para a qual o paciente veio procurar uma análise.

*

Ao preparar este seminário, e já que devemos abordar mais lentamente o tema da transferência, voltei-me para a questão do método catártico, porque considero que, para estudar a transferência desde o seu início, é preciso começar por ali. O método catártico constitui, como sabemos, o método pré-analítico e está na origem do nascimento da psicanálise.

Freud hipnotizador

A história do método catártico é uma história verdadeiramente apaixonante. Não só apaixonante, mas, além disso, até vemos aparecerem questões afirmadas, pensadas, refletidas e constatadas em 1890, que estão muito presentes na maneira como, hoje, concebemos a análise. Por exemplo, eu não sabia que em 1890, na época em que Freud praticava a hipnose, o método catártico era praticado segundo diferentes tipos de sugestão, entre os quais a sugestão hipnótica. Freud dizia ser um mau hipnotizador, mas a maneira como ele pensava na questão era estar sentado numa poltrona, atrás do paciente deitado. Então, surge uma pergunta: como isso era possível? Pois Freud nos diz, nos escritos técnicos, que decidira usar o divã porque na verdade não suportava ter diante de si os seus pacientes durante oito horas por dia e, assim, tinha que pedir ao analisando que se deitasse. Ora, informei-me com pessoas que conhecem bem a história da hipnose. De fato, em 1890, praticava-se a hipnose, primeiro em consultas particulares e não apenas na Salpêtrière. Mas, quando era praticada em consultório particular, uma das modalidades — que não era a única — era fazer sugestões verbais ao paciente, estando este deitado e o médico sentado atrás dele. Logo, quando Freud nos diz nos seus escritos técnicos que pedia aos pacientes que se deitassem porque não suportava vê-los durante oito horas por dia, na realidade ele não fazia mais do que retomar um dispositivo já muito antigo, que ele próprio já praticara como hipnotizador. Isso é apenas uma curiosidade.

O método catártico

O que me parece muito mais interessante é a maneira pela qual ele concebia o método catártico. De certa forma, é o ponto de partida das nossas considerações sobre a transferência.

Sabemos que o método catártico foi inventado por Breuer. Alguns dizem que foi Janet e outros ainda reconhecem que houve dois médicos franceses que se interessaram pelo assunto na época, principalmente Burot. Nessa época, todos estavam empenhados na questão. Houve congressos sobre o tema, em Paris, em 1881, não só de psiquiatria, mas também de psicologia, nos quais estava em voga a idéia de que o método catártico partia da seguinte hipótese: os sintomas do histérico seriam a expressão manifesta da presença de um corpo estranho incrustado na psique do sujeito, como um parasita. Esse corpo estranho seria uma idéia ou um grupo de idéias penetradas no espírito, fora da consciência do sujeito. Considerava-se que o sujeito percebera inconscientemente um acontecimento particular, que se tinha transformado. Essa percepção transformara o acontecimento em uma idéia ou grupo de idéias que ficavam na psique como um elemento isolado. E era esse elemento isolado, essa idéia ou grupo de idéias, que teria uma presença ativa patógena. A doença se explicava pelo fato de que no interior da psique do histérico reinava, dominava, um corpo estranho.

Na época, Charcot utilizava a hipnose para criar os mesmos sintomas de que sofria o paciente histérico, isto é, para recriar, no paciente, os sintomas passados. Charcot chamava essa criação nova de "uma neurose artificial". Era exatamente o mesmo termo que Freud usaria dez ou quinze anos depois, para designar a neurose de transferência. Mas foi então que Breuer teve outra idéia: servir-se da hipnose, da sugestão verbal ou de outro tipo de sugestão, não para reproduzir os sintomas da doença, mas para extrair, para fazer sair, para extirpar o corpo estranho. E a idéia de Breuer era utilizar a hipnose para fazer o paciente voltar ao momento em que teve lugar a experiência perceptiva de um acontecimento que se tornou patógeno. O interessante é que Breuer pensava que às vezes isso podia ser feito sob hipnose, e outras vezes bastava simplesmente pedir ao paciente que falasse do assunto, para conseguir provocar essa reminiscência do momento patógeno. A tal ponto que acreditava que esse grupo de idéias isoladas estava na própria origem da doença, da histeria. Todos estavam de acordo nesse ponto. A diferença estava na explicação dada em resposta a esta pergunta: como esse grupo patógeno se instalou no espírito do sujeito? Breuer pensava que esse grupo de idéias patógenas se instalara no momento em que o histérico estava naquilo que ele chamava de "estado hipnóide". Dizia que, em certos momentos, quando era mais jovem, em um momento do passado, o paciente tivera um estado hipnóide, uma espécie de obnubilação, de confusão, que criara as condições necessárias para deixar penetrar em si acontecimentos que vieram inscrever-se em seu inconsciente.

Janet não pensava assim. Dizia: na verdade, não é porque o paciente se encontra num estado hipnóide, mas porque há uma má síntese por parte do Eu. Quer dizer que o Eu não é capaz, nesse momento, de integrar corretamente esse grupo de idéias, e Janet chamava isso de "labilidade psíquica de síntese".

Freud tinha uma terceira hipótese. Pensava que, na verdade, esses grupos de idéias eram isolados e patógenos porque eram **o resultado da percepção de um acontecimento sexual**. E isso, para Freud, se distinguia nitidamente de tudo o que pensavam todos os outros teóricos da época: **o caráter violento, e além disso, sexual, do acontecimento traumático**.

Sobre essa questão, há muitos comentários. Primeiramente, vemos que a teoria em voga nessa época era a de Charcot. Foi Charcot que teve a idéia de que a origem da histeria se devia a um grupo de idéias parasitas não conscientes no espírito do sujeito. Estamos diante de uma teoria que considera que o trauma depende da singularidade. O que faz mal é um afeto em excesso devido ao choque emocional da percepção do evento traumático. Mais tarde, a teoria em voga se torna dupla: a doença é produzida por um elemento singular e por um excesso de afeto, o Um é o excesso.

Nesse ponto, pergunto aos lacanianos: não reconhecem aqui o S_1 e o objeto a? Não reconhecem aqui a cadeia dos significantes S_2? O elemento singular, o S_1 e o excesso de afeto, o objeto a? Certamente, mas dirão: não há um reducionismo entre Lacan e Charcot?

Não é um reducionismo, é toda a teoria analítica que vai continuar a alimentar-se dessa espécie de estrutura de conjunto que se chama o Eu, o elemento Um, elemento distinto, distintivo, singular, que está na origem da doença, da neurose, mas, além disso, o caráter de excesso de afeto que podemos reconhecer sob diferentes termos, ao longo da evolução da história da psicanálise, a partir do termo "afeto" de Freud em "O nascimento da psicanálise", passando pela libido, as pulsões etc...

Estaríamos afirmando que tudo já estava dito na época de Charcot?
Não, de modo algum! Simplesmente, o que me parece importante, o que interessa, o que eu desejaria transmitir-lhes, é que nós nos situamos em um continuum simbólico, em uma filiação, que reconhecemos que aquilo que nós pensamos e praticamos hoje não nasceu ex-nihilo, mas fazemos parte de uma história que vai continuar depois de nós, além de nós. O que me parece importante no fato de voltar ao método catártico, é reconhecer certos pontos que reaparecem hoje na nossa prática mais atual e mais cotidiana.

Um outro ponto deve ser assinalado: o conceito de Janet de "labilidade do psiquismo para integrar e sintetizar as percepções traumáticas" é muito próximo daquilo que os norte-americanos, com a psicologia do Eu, chamarão nos anos 60 de "Eu fraco". O "Eu fraco" seria um Eu impotente para sintetizar, para integrar.

Enfim, último comentário à margem, antes de voltarmos para o método catártico: o que é mais interessante, é que o método catártico consistia, finalmente, em produzir no sujeito uma reminiscência do acontecimento traumático. *Por que a reminiscência do acontecimento traumático é importante?*

Porque essa reminiscência integra, na consciência e através da fala, o que estava isolado no inconsciente. Pedia-se ao paciente que voltasse ao fato e falasse dele. Era um modo de dissolver, de apagar, de esgotar a força traumática do elemento ou do grupo de idéias que estava ali, parasita, no espírito do sujeito. Desejava-se que o paciente, ao rememorar, ao voltar aos seus momentos antigos, pudesse perceber de outra forma o que fora percebido inconscientemente, num dado momento. Logo, tratava-se de fazê-lo voltar, de fazer com que ele visse, mas desta vez conscientemente, o que fora percebido inconscientemente.

Essa idéia de levar o paciente ao momento original da percepção inconsciente, para fazê-lo perceber conscientemente, na atualidade da catarse, vai nos servir para falarmos do analista de hoje, e dizer que este deve proceder de modo inverso. O analista deve considerar que aquilo que é percebido é o inconsciente do sujeito. O analista deve perceber inconscientemente o inconsciente do sujeito. No método catártico, a percepção inconsciente seria levada a ser retomada pela percepção consciente. O analista deve abandonar a percepção consciente, mudar de registro e poder perceber, como se devesse voltar ao trauma, à experiência traumática, nesse estado obnubilado, o inconsciente em jogo do sujeito.

Quando vocês falam de percepção inconsciente, podemos dizer-lhes se essa é uma expressão de hoje ou uma expressão freudiana?

A esse respeito, encontrei um texto de 1889 de Onanoff, que se chama precisamente "Da percepção inconsciente". O que surpreende é que, já em 1889, falava-se assim. Não é certo que nessa época Freud tenha utilizado esses termos.

O que era o método catártico, então? Em resumo, consistia em levar o paciente para trás, até o ponto traumático, e em fazer com que ele o reproduzisse, em palavras, imagens ou atos. Já se fazia com que o paciente falasse, sentisse ou alucinasse. O objetivo era — o próprio Breuer usava esta expressão — ampliar o campo da consciência, em outros termos, integrar o grupo de idéias isoladas na consciência.

O método catártico era pois um método terapêutico por três razões: em primeiro lugar, curava porque integrava; em seguida, tratava porque permitia a descarga dos afetos ligados à antiga percepção traumática;

e, enfim, isso é muito importante, curava porque produzia uma neurose nova. Considerava-se pois que o método catártico não era apenas efetivo porque era uma volta ao acontecimento traumático, mas porque o sujeito vivia, no momento da reminiscência catártica, uma crise de histeria. E a reminiscência catártica era então chamada "crise histérica".

Encontramos aqui novamente o conceito de neurose de transferência: o momento fecundo da análise, o momento fecundo da transferência. Falamos da mesma coisa. Há uma ressonância entre esse momento fecundo da transferência e o fato de levar o paciente ao momento catártico. O método catártico teve uma vida mais longa no seio da teoria psicanalítica do que se quis acreditar. Imagina-se, sempre que se fala de catarse, que ela pertence aos anos 1890-1892, no máximo a 1897, e que depois não se falou mais disso.

Rank e Ferenczi escreveram um livro juntos — creio que foi o único livro que fizeram juntos — intitulado *O desenvolvimento da psicanálise*, que foi publicado em 1923. Nele, dizem textualmente: "A despeito do nosso saber analítico, devemos dizer que a descarga de afeto no método catártico é o fator primordial da terapêutica analítica." Isso significa que Ferenczi e Rank consideravam que, na psicanálise, havia uma parte de catarse absolutamente reconhecível com um efeito terapêutico.

A surpresa

Theodor Reik, poucos anos depois, defendia uma concepção análoga, afirmando que o elemento de surpresa, isto é, a surpresa evocadora do caráter súbito, surpreendente e violento da reminiscência catártica era o fator primordial da terapêutica analítica. Sabia-se que a catarse não era simplesmente uma reminiscência lenta e progressiva. Era súbita, violenta e surpreendente. Reik toma a idéia de surpresa e a transpõe para o nível da experiência analítica: não só no nível do paciente, mas também no nível do analista. Talvez conheçam esse texto. É um dos mais célebres de Reik sobre a surpresa. Considera que a surpresa é o traço do efeito terapêutico de uma interpretação psicanalítica. Uma interpretação psicanalítica é corroborada, não tanto pelo sentimento ou convicção que o paciente experimenta diante dessa interpretação, porém mais pelo fato de que a interpretação o surpreenda.

Finalmente, Strachey e outros psicanalistas, como Nunberg, reconhecem sem hesitar a eficácia terapêutica da catarse e falam de abordá-la ou considerá-la no interior da experiência da análise, do tratamento analítico.

A coerção associativa e a resistência

Terminaremos essa primeira etapa lembrando a evolução da técnica freudiana. Freud modifica a sua teoria, a partir de 1892-93. Abandona a catarse e a hipnose e utiliza o que se convencionou chamar de "coerção associativa", tentando estimular e até exigir a rememoração, sem hipnose, dos acontecimentos esquecidos, dos acontecimentos traumáticos e sexuais esquecidos. Um dos métodos usados consistia em fazer pressão com a mão sobre a fronte do paciente, sugerindo-lhe que pensasse em alguma coisa. Foi quando Freud descobriu que Elisabeth não queria se lembrar que ele inventou o conceito de resistência. E é por isso que falo de coerção associativa. O conceito de resistência vai nascer no momento do método de coerção associativa.

O conceito de resistência modifica relativamente a teoria da neurose e Freud, ao invés de falar, a partir de então, em termos de corpo estranho e de descarga, transformaria isso num conflito entre as representações traumáticas sexuais intoleráveis e a consciência recalcadora, que não quer saber nada a respeito delas.

A teoria da resistência terá uma série de repercussões no nível da técnica. Terminaremos nesse ponto, no qual observamos quatro repercussões importantes: primeiramente, Freud se vê obrigado a mudar de tática, isto é, a procurar outras produções psíquicas além da rememoração precisa do acontecimento traumático. Assim, Freud propõe a associação livre e o princípio técnico que a concretiza: a regra fundamental; em segundo lugar, todas as outras formações psíquicas, especialmente as associações livres, serão carregadas de significação inconsciente. Isso quer dizer que a coerção associativa, a recusa, a resistência de Elisabeth a lembrar-se, vão levar Freud a considerar outras formas de expressão da representação traumática intolerável e inconsciente; a terceira conseqüência está no nível da interpretação. A partir desse momento, Freud inventa a idéia de fazer intervenções junto ao paciente, não para sugerir-lhe o sentido de um sonho ou das associações livres, mas para interpretar a resistência, isto é, para diminuir a resistência do Eu. Enfim, e principalmente, é com a instalação desse conceito de resistência que aparecerá pela primeira vez a noção de "resistência à transferência". Não a resistência *da* transferência, mas "resistência **à** transferência". Correlativamente, aparecerão a descoberta da relação transferencial, o desvelamento da transferência, e o reconhecimento do aparecimento de novos sintomas ligados ao operador com o qual o paciente estabelece a associação livre. Vão aparecer novos sintomas ligados ao terapeuta. É isso que chamamos de "neurose de transferência".

A resistência, então, é feita de associações, da regra fundamental, da escolha de qualquer outra formação psíquica para descobrir o sentido da significação inconsciente. Logo, a interpretação é feita para interpretar a resistência e para concluir que o seu aparecimento é uma resistência à intervenção do terapeuta e, por conseguinte, ao desvelamento da transferência.

Nesse momento, no que se refere ao descobrimento da transferência, aparece a neurose de transferência e, como já podemos dizer, o reconhecimento de que o analista estará não só na origem da relação com o seu paciente — a transferência — mas também estará na origem de toda a experiência, isto é, será o objeto fantasístico subjacente aos novos sintomas que aparecerão na relação.

*

O último ponto importante a sublinhar na evolução da técnica é o seguinte: nesse momento, produz-se uma mudança. A indicação técnica é tornar consciente o inconsciente. A partir do descobrimento da resistência, aparece a indicação de analisar as resistências. A primeira é uma fórmula tópica, topográfica. A segunda é uma fórmula dinâmica, diria Freud.

O que me parece interessante nessa fórmula de analisar as resistências é que ela vai estar, já que a resistência é um elemento do Eu, na origem da célebre escola da psicologia do Eu, da análise do Eu, dos norte-americanos. Essa escola, com Kris, Loewenstein e Hartmann, foi fundada a partir desses conceitos de resistência como resistências do Eu e, conseqüentemente, do princípio técnico de analisar as resistências.

Abstractus do analisando

Desejo terminar com uma espécie de "abstractus". Uso esse termo de acordo com um mestre, que se chama Pichon-Rivière e que é interessante conhecer.

Um analista inglês, Edward Glover, nos anos 50, ao ver as dificuldades que existiam sobre as diferentes concepções da técnica psicanalítica, teve a iniciativa de estabelecer um questionário, aberto para diferentes analistas de diferentes países, sobre questões distintas referentes à maneira como trabalhavam. O resultado desse questionário, que pretendia ser um elemento para obter uma teoria comum da técnica analítica, foi decepcionante para Glover. O único ponto no qual as respostas coincidiram foi que a transferência era o elemento terapêutico da análise. Todos reconheceram a importância da transferência como fator terapêutico. Era a única questão. Todo o resto (como interpretar, segundo que modalidade, em que ponto intervém a interpretação, qual é a sua origem, a duração de uma análise, a duração das sessões, o número de sessões etc...), sobre todos esses pontos não houve nenhum acordo, nem mesmo o mais ínfimo.

A partir desse questionário, um analista meio francês, meio argentino, Pichon-Rivière, hoje falecido, um dos mestres dos analistas argentinos, teve a idéia de fazer o que chamou de "abstractus". Era uma abstração do que haviam dito os analistas segundo o questionário de Glover. Então, veio à minha mente esse termo, "abstractus", para fazer uma abstração dos pacientes segundo as épocas, e fazer um "abstractus" do paciente da época de Freud, em 1910, isto é, da época do Homem dos Ratos, e, a partir daí, do paciente de hoje.

O paciente da época de Freud era um adulto que podia ter até cinqüenta anos, neurótico, que superara a primeira prova. Freud fazia duas semanas ou dois meses de experiência com o paciente, para saber se este podia ser analisado ou não. Logo, o analisando de Freud era um adulto que não tinha mais de cinqüenta anos e não era uma criança. Freud pensava que as crianças e as pessoas com mais de cinqüenta anos não eram analisáveis. Não que a análise fosse proibida, mas Freud não podia afirmar, nesses casos, o caráter benéfico da experiência analítica. O paciente de Freud era um homem que havia passado pela prova de um tratamento de duas semanas, para saber se era analisável. Freud recebia esse paciente seis vezes por semana, durante sessões de uma hora, ao longo de seis meses até um ano. As análises não duravam muito mais que isso. Ele utilizava o divã. Na época do Homem dos Ratos, ele tinha uma mesinha com chá, arenques e pequenos sanduíches, pois convidava os seus pacientes a comer com ele. Às vezes, o paciente se levantava do divã e andava pelo cômodo. Freud interpretava, para o Homem dos Ratos: "Sim, você se move assim porque se sente culpado e não consegue ficar quieto no divã. É por isso que você anda pela sala." Porque o paciente era um homem que não ficava tranquilo no divã, ele se movimentava. As interpretações de Freud na época eram interpretações transferenciais apenas quando a transferência fazia resistência. Depois, a transferência se dissolvia.

Freud mantinha com seus pacientes não apenas boas relações de convivialidade, mas falava-lhes de teoria, de livros e até os doutrinava e lhes explicava a teoria psicanalítica. Muitas vezes, encontrava-se com alguns deles em outros locais, por exemplo em reuniões científicas.

Nessa época, o analisando só era atendido em consultório particular. O nosso paciente de hoje tem qualquer idade, pode apresentar todas as patologias, e não apenas a neurose. Certamente, há a neurose, mas também momentos de perversão, e algumas vezes momentos psicóticos, embora atualmente os pacientes psicóticos sejam tratados em outros lugares, questão que, para a escola inglesa, é diferente da nossa. Toda a escola kleiniana manteve a importância de defender a análise de pacientes psicóticos, principalmente os esquizofrênicos, em razão da sua própria maneira de conceber o inconsciente e a pulsão. Entre nós, os pacientes psicóticos são raramente tratados em consultórios particulares. Em geral, vemos nossos pacientes duas vezes por semana, e não seis. A duração do tratamento é relativa, muito mais longa do que na época de Freud. O paciente usa não só o divã, mas muitas vezes é mantido no quadro analítico do "face a face", principalmente os pacientes que retomam a análise, isto é, que fazem uma segunda análise. Quanto a mim, mantenho com ele longos meses de entrevistas preliminares, que se chamam "entrevistas preliminares em face a face". Tenho muitas reservas no que se refere ao momento de propor-lhe que se deite no divã, e há muitas razões para essa reserva.

O paciente de hoje não fica apenas em consultórios particulares. Fala-se de psicanálise, de psicoterapia de inspiração analítica, nos dispensários, nos hospitais, nos centros de saúde etc. Em minha opinião, esse paciente recebe interpretações errôneas, interpretações supostamente transferenciais, acreditando que a transferência é constituída simplesmente pelas referências e alusões que o paciente faz ao analista, enquanto a verdadeira interpretação transferencial só pode ocorrer, como dizíamos há pouco, nos momentos fecundos, passionais, violentos e dolorosos do tratamento.

Reservamos para a nossa próxima reunião a questão do "abstractus" do analista, isto é: como age o analista, qual é a sua problemática em uma ou outra época, e abordaremos o conceito de transferência a partir dos primeiros tempos de Freud até hoje.

*
* *

II
O caráter de analisabilidade

Hoje, gostaria de prestar homenagem a um escritor recentemente desaparecido, um escritor que me é muito caro, e desejaria aproveitar esse seminário para referir-me a ele, René Char.
Sua voz sempre me inspirou. Vejo-a muitas vezes à maneira de uma fonte, na qual bebo. Eis uma dessas vozes. Ele escreve o seguinte:

Um poeta deve deixar vestígios da sua passagem, e não provas. Só os vestígios fazem sonhar.

Por que não dizer que isso está, afinal, muito próximo do melhor que poderíamos esperar, quando os analistas tentam transmitir o que fazem e favorecem o fato de fazer experiência? É o meu caso com esse seminário, é o caso de muitos outros analistas que tiveram a vontade de ensinar, de transmitir, muitos analistas que estão aqui, com os quais trabalho, e também outros de outras correntes.
Sei que muitos colegas sabem claramente que o melhor que poderia acontecer quando ensinamos não é veicular um saber, informar este ou aquele conceito, mas ensinar a encontrar a verdade. O melhor que poderia acontecer é que um ensino favoreça o exercício da verdade, favoreça o fato de saborear a experiência da verdade. Em outros termos, que facilite, no analista, o exercício do esquecimento. Em suma, se possível, temos a esperança de que um ensino da análise deixe vestígios que façam sonhar.

*

Esta noite, vamos abordar o tema da transferência, mas vamos abordá-lo sob o ângulo de um problema muito preciso: o da indicação da análise.

Nem todo paciente que nos consulta é analisável

É preciso ressaltar que, certamente, nem todo o mundo é analisável. Mas a partir de que critérios decidimos quem é analisável e quem não o é? Na verdade, na prática e na teoria, existe apenas um critério de analisabilidade. Só é analisável quem é capaz de transferência, isto é, capaz de desenvolver com o analista uma neurose dita "de transferência". Inversamente, a condição para que um tratamento analítico continue e termine é que o analisando seja ou tenha sido neurótico.

Neuroses de transferência e neuroses narcísicas

Esse critério foi claramente estabelecido por Freud desde o início e o levou a distinguir dois tipos de entidades nosográficas: as que ele chama de neuroses, passíveis de análise, isto é, as neuroses de transferência, que são aquelas em que a transferência é possível — que englobam a histeria, a fobia e a obsessão — e as neuroses não passíveis de análise, refratárias ao tratamento analítico, que englobam um grande número de entidades clínicas, que pertencem fundamentalmente ao campo da psiquiatria, das quais se falava na época de Freud, tais como a melancolia, a paranóia, a esquizofrenia etc.

As primeiras, as neuroses passíveis de análise, foram chamadas por Freud de "neuroses de transferência" e as segundas, as que não são passíveis de análise, de "neuroses narcísicas". Hoje, diríamos neuroses e psicoses.

Esse critério e essa distinção entre neuroses de transferência e neuroses narcísicas foi objeto de muitos debates ao longo dos oitenta anos da história analítica, e principalmente de um debate mantido em especial pela escola anglo-saxônica. Os norte-americanos e os ingleses se mostravam muito desejosos, pensavam, praticavam e estavam preocupados em demonstrar, ao contrário de Freud, que a psicose, ou seja, a neurose narcísica, era passível de análise. Houve assim uma época fundamental, com autores importantes que devemos mencionar e conhecer bem: Rosenfeld, Searles, Frieda von Reichmann, Bion e Hanna Segal. São autores que, constantemente, se preocuparam em tratar de pacientes psicóticos em consultório particular e em afirmar que eles eram passíveis de análise.

Realidade psíquica local

Pessoalmente, concordo com essa posição, porque ela me parece teórica e praticamente correta. Na França, muitos outros analistas pensam como eu. Em particular, concordo com essa posição, principalmente depois dos trabalhos que realizamos justamente neste seminário, sobre o que chamo de "foraclusão local", isto é, a realidade psíquica local no paciente psicótico.

Se concebemos que um paciente dito psicótico experimenta e constrói realidades locais, pode haver uma realidade psíquica local transferencial e uma realidade psíquica local que recusa a transferência. Logo, um paciente que está em análise pode, durante um tratamento, passar por momentos nos quais entra em relação transferencial com o analista. Digo isso para expressar que, efetivamente, minha tendência é inscrever-me nessa corrente, digamos ao contrário de Freud — e não sou o único a pensar isso — para dizer que as neuroses narcísicas podem, apesar de tudo, ser capazes de transferência.

Entretanto, devemos reconhecer duas coisas: primeiramente, Freud nunca foi verdadeiramente categórico. Não disse que não devíamos analisar os psicóticos. Disse: "estejam atentos!", "sejam prudentes!". Aliás, há expressões precisas, entre as quais ele utiliza uma muito interessante: "É preciso estabelecer um plano terapêutico muito particular para a psicose." Isso me faz pensar num texto de Lacan sobre as preliminares para um "tratamento possível das psicoses", o que significa que é preciso estabelecer um plano terapêutico muito particular. Em segundo lugar, Freud não impedia, não proibia o tratamento das psicoses. Dizia que, em princípio, a teoria e a prática nos levam a uma certa prudência.

Oitenta anos se passaram desde essas afirmações. Creio que essa prudência é atual e indispensável. Se temos um paciente esquizofrênico que vem nos consultar em nosso consultório particular, não o receberemos, por ocasião das primeiras entrevistas, com a mesma disposição para trabalhar com ele na análise do que se ele fosse um paciente neurótico. O mesmo vale para um paciente com passagens ao ato perversas, para um toxicômano ou um melancólico, principalmente na fase aguda. Apesar de tudo, a posição freudiana me parece muito correta e de bom senso.

O bom senso

Ao dizer "bom senso" — e parece que essa expressão não diz respeito aos analistas — lembro-me da vez em que Lacan fazia o seu seminário e contava o seguinte: "Estou chegando de um júri no qual tivemos que escolher, selecionar, os analistas da Escola Freudiana que poderiam ser designados como analistas Membros da Escola, chamados A.M.E., Analistas Membros da Escola." E acrescentou: "Sabem, no júri me perguntaram quais eram os critérios com os quais íamos escolher esses analistas." Nessa época, a questão era totalmente diferente; por um lado para os analistas da Escola, os que eram selecionados por um júri em função de um processo que se chamava "passe", e por outro lado para os analistas membros da Escola, que eram escolhidos em função do seu mérito, isto é, em função da maneira pela qual trabalhavam em supervisão, no tempo de sua análise, sua prática etc... E Lacan respondeu, naquele dia: "Não há outro critério, a não ser o bom senso. Não há nada além do bom senso." Isso significa que o analista deve chegar a um ponto em que tudo o que ele aprendeu se concentre nesse mesmo ponto, que é o do bom senso.

Para jogar com as palavras, eu diria que há uma ética do bom senso como há uma ética do bem dizer. Lacan, como sabemos, dizia que há uma ética do bem dizer. Eu diria que também há uma ética do bom senso. A ética do bem dizer não é a ética da eloqüência. A ética do bem dizer é dizer um dito que signifique alguma coisa de recalcado, isto é, um dito que signifique o silêncio de um recalcamento. Eu diria que a ética do bom senso, a ética analítica do bom senso, é a ética pela qual o analista implica um sentido, o único sentido válido em psicanálise, permitam-me essa qualificação um tanto brutal: o sentido fálico. A ética do bom senso é a ética do sentido fálico. A ética do bem dizer é a ética do dizer o recalcamento.

Volto ao nosso problema. Estava dizendo pois que, finalmente, essa distinção estabelecida por Freud entre neurose narcísica e neurose de transferência permanece válida teoricamente, apesar de tudo. É uma espécie de princípio e é bom que todos nós continuemos a tê-lo presente no espírito, quando temos pacientes que vêm nos consultar, quando das primeiras entrevistas. Mas, além disso, essa distinção entre neurose de transferência passível de análise e neurose narcísica me parece ser uma distinção muito instrutiva, muito interessante, para examinar nesta noite o que decidimos chamar de "capacidade de transferência". *O que é ser apto para a transferência? O que é a analisabilidade? Traduzo-a assim: por que as neuroses de transferência são analisáveis e por que as neuroses narcísicas não o são?*

As neuroses de transferência

Comecemos pelas neuroses de transferência. Vamos estudar as estruturas e as manifestações da neurose de transferência. A neurose de transferência — especialmente suas manifestações — ocorre na fase de abertura do tratamento. É muito rápido. Desde as primeiras entrevistas, a neurose de transferência já aparece. Suas manifestações são importantes para detectar certos sinais, como por exemplo, o momento em que se pode indicar o divã para o analisando.

O que é a neurose de transferência? Como vemos, há uma ambigüidade. Digo: "*a*" neurose de transferência, e há pouco eu disse: "*as*" neuroses de transferências. Em Freud, essa ambigüidade segue o movimento atual, por uma razão muito simples, que consiste em dizer que falar de "neurose de transferência" é, na verdade, propor um conceito técnico. Com efeito, "neurose de transferência" é uma entidade nosográfica definida em função de uma terapia: a terapia analítica. É como se tivéssemos um medicamento, por exemplo a aspirina, e disséssemos que há doenças que são "aspirináveis" e outras que não o são.

A neurose de transferência é um conceito técnico, contudo Freud também fez dele um uso nosográfico. Mas o que domina em sua obra, quanto ao sentido e à acepção da neurose de transferência, é o conceito técnico.

O único texto no qual ele faz um uso nosográfico é aquele recentemente descoberto, que se chama "Neuroses de transferência: uma síntese", que foi editado recentemente.

Há quatro textos nos quais Freud fala de neurose de transferência como de um conceito técnico. Dou as principais referências: o primeiro, em 1914, "Recordar, repetir, elaborar"; mais tarde, em 1916-1917, na conferência introdutória XXVII sobre a transferência, justamente; depois, em 1920, "Mais-além do princípio de prazer"; e, naturalmente, há este texto: "Neuroses de transferência: uma síntese", em que o conceito de "neurose de transferência" é nosográfico.

Devo acrescentar outro texto aos três primeiros, nos quais o conceito de "neurose de transferência" tem um sentido técnico. É a "Introdução ao narcisismo". Nesse texto, Freud está preocupado em definir o que são as neuroses narcísicas.

Gostaria de fazer um esclarecimento antes de passar ao problema em si. A maioria dos textos analíticos que estudam o problema da neurose de transferência o consideram como uma classe particular de transferência, especialmente os anglo-saxônicos. Como eles se preocupam em demonstrar que as psicoses são aptas para a transferência, fizeram a distinção dizendo: "Sim, há as psicoses de transferência e as neuroses de transferência" e, por conseguinte, diziam: "Existe a transferência, e a partir dela há diversas classes de transferência: psicoses de transferência, neuroses de transferência." Outros autores até inventaram a perversão da transferência ou a transferência pervertida etc... A partir daí, podemos imaginar todas as diferentes classificações de transferência.

Na verdade, não concordo com essa posição. Creio que temos um grande interesse prático, na escuta de nossos pacientes, em identificar o conceito, aparentemente mais geral, de transferência, por um lado, e o conceito mais preciso de neurose de transferência, por outro lado.

Quando um analista enuncia a palavra mil vezes banalizada "transferência", conota-a espontaneamente, sem pensar, com três acepções clássicas que são, em minha opinião, três maneiras de pensar o conceito de "transferência" que o afastam da experiência. O que quer dizer "que o afastam da experiência"? Que não deixam interrogar, consultar, apreender essa experiência. Essas três acepções são: **primeira acepção**, a transferência é a relação com o analista; **segunda acepção**, mais vaga, mais geral e espontânea: a transferência é o conjunto dos afetos e das palavras alusivas, vividas ou não, em relação ao analista; **terceira acepção**, vaga: a transferência é a repetição, no atual, com o analista, das experiências sexuais infantis vividas no passado.

Eis os três sentidos habituais que se dão à palavra "transferência". Esses três sentidos têm uma parte de verdade. Quero dizer que Freud, de uma maneira ou de outra, os enunciou. Mas penso que se nos aproximarmos, se identificarmos a transferência em geral com a neurose de transferência, temos a vantagem de precisar muito melhor o que é esse conceito de transferência e retirar esse caráter de acepção ambígua de que acabamos de falar. Damos ao conceito de transferência uma riqueza muito maior do que ele tem, com a condição de o separar da neurose de transferência.

O que diz Freud nesses textos? Vou resumir rapidamente. Gostaria de chegar ao que é a minha preocupação. Passo muito rápida e esquematicamente, mas vou me deter nos aspectos que definem a neurose de transferência.

Primeiro, ele não diz que a relação do terapeuta com o paciente se faz em uma neurose. Essa idéia de neurose de transferência não era inteiramente uma idéia freudiana. É anterior a Freud. É uma idéia de Charcot, retomada por Janet. E é uma idéia muito em voga na época, em 1890. Pois, como lembramos — é muito interessante — os hipnotizadores, especialmente os que praticavam o método catártico, consideravam que no momento em que o paciente fazia a descarga, isto é, alucinava o acontecimento traumático e falava, nesse momento se produzia uma crise histérica. E diziam, numa época anterior a Freud, que para tratar a histeria, era preciso recriar uma crise histérica. Essa idéia já estava presente.

A neurose de transferência: uma neoformação psíquica

Depois de lembrarmos isso, vejamos agora as diferentes definições da neurose transferencial.

Primeiramente, a neurose de transferência é um produto psíquico mórbido, espontâneo e fundamentalmente **inconsciente**. Isso é muito importante. A neurose de transferência é inconsciente, isto é, o sujeito a vive sem perceber.

Em segundo lugar, esse produto, esse "estado de transferência" é uma criação nova. Em relação à afecção, à doença pela qual o paciente veio nos consultar, essa neurose de transferência deve ser considerada como uma neoformação, como um câncer, como um tecido vivo. São os termos de Freud: **"tecido vivo"**. Vejam que estamos longe de dizer: a transferência é a relação com o analista, os afetos, as palavras vividas em relação a ele.

Freud nos diz que é o inconsciente. É um tecido vivo que se cria principalmente na fase de abertura do tratamento, que cresce e se multiplica insidiosamente — são minhas próprias palavras — à medida do desenvolvimento do tratamento. É como uma lava vulcânica, como uma lamela que invade o vínculo analítico e isso, sub-reptícia e insidiosamente, sem que os parceiros percebam. Essa lamela, essa lava, esse câncer, se concentra e converge para um único ponto opaco, um ponto umbilical em direção ao analista, uma espécie de umbigo que é o analista.

Logo, devemos imaginá-lo como um tecido com um ponto umbilical, como o umbigo de um sonho. Aqui, seria o umbigo da transferência.

Primeira característica: é um produto psíquico mórbido e inconsciente.

Segunda característica: é uma criação nova em crescimento e em extensão viva, com um ponto opaco.

Terceira característica: Freud diz que "essa estrutura mental é uma estrutura artificial". São suas palavras. Antes, ele dizia "espontânea". É verdade, espontânea por sua emergência, mas ao mesmo tempo, ele diz: "é artificial". "Artificial" quer dizer manejável, manobrável por um operador que, ocupando ele próprio o centro dessa estrutura, é capaz de desmontá-la, isto é, interpretá-la.

"Artificial" quer dizer não só "provocada, desmontável, provisória, interpretável, se quisermos", mas também quer dizer que ela responde a três objetivos, à vontade do terapeuta, que determina para si três objetivos com a neurose de transferência, com essa criação artificial que é a neurose de transferência. Há três expectativas do operador: uma expectativa terapêutica, uma expectativa de pesquisa e uma expectativa ética.

A expectativa terapêutica

O objetivo terapêutico é o mesmo princípio que o do método catártico, na época de Freud, isto é, reproduzir a doença para poder eliminá-la in vivo. Refazer a doença, para melhor tratá-la. É verdade, reconhecia Freud, que esse meio terapêutico é um meio arriscado. É arriscado porque aumenta a doença até um grau às vezes tão intenso que ela se torna um obstáculo à continuação do tratamento, e às vezes — por que não dizer — está na origem de graves passagens ao ato, por parte de certos pacientes. Isso é raro, mas devemos saber que, quando um analista trabalha com um paciente, trabalha com materiais explosivos. Isto é, ele cria uma situação que pode tornar-se intensa e arriscada. Primeiro objetivo, pois: terapêutico.

A expectativa de pesquisa

Segundo objetivo: de pesquisa, de investigação. Na "Metapsicologia", encontraremos uma frase que me pareceu luminosa: "Os processos inconscientes só podem ser conhecidos por nós nas condições das neuroses, isto é, em circunstâncias em que todos os processos pré-conscientes foram rebaixados".

Freud sempre insistiu em dizer que a análise não é apenas terapêutica, como eu declarei há pouco, mas é também um meio de investigação para o conhecimento do inconsciente. Observe-se que as palavras que eu utilizo são as palavras, o tom e a atmosfera dos textos freudianos.

A expectativa ética

Enfim, há um objetivo ético. A esse respeito, Freud diz, nos "Artigos sobre técnica": "**O que o paciente viveu sob a forma de uma transferência jamais esquecerá.**" A meu ver, essa frase deveria ser posta em epígrafe a um texto que pretendesse falar da **passagem do analisando para o analista**. Aqui, reencontramos a posição de Lacan que considerava que não havia uma psicanálise didática e uma psicanálise pessoal. Considerava que a psicanálise era sempre psicanálise pura. Isto é, em última instância, toda psicanálise leva teoricamente, em tese, a criar um analista a partir de um analisando. Pouco importa por que razão este procurou um analista. Era essa a posição de Lacan. Aliás, ele dizia: "Se quiserem compreender o que é a psicanálise didática, é preciso que comecem pressupondo este princípio: toda análise leva, ou deveria levar, a produzir um analista."

É um objetivo ético de psicanálise pura, próximo daquilo que hoje chamaríamos de sublimação. Pois, nesses casos, o que se vive na transferência e que nunca se esquece é uma transformação. O Gozo experimentado na transferência se transforma em ato, num vestígio significante: a abertura de uma nova análise. Para o analisando, que agora se tornou analista, o Gozo experimentado na transferência se transforma em ato de abrir uma nova análise. É o que assinalaríamos como sendo o objetivo ético dessa neurose de transferência artificial.

*

Dois níveis de compreensão da transferência: o nível matricial e o nível da significação

Mas voltemos a Freud e à nossa maneira de ler e compreender a neurose de transferência. Primeiramente, creio que é preciso distinguir dois níveis para compreender esta última: um nível que chamo de matricial e um nível de significação. Um nível de matriz e um nível de sentido, de significação.

Quanto ao nível de significação, vamos nos servir de muitos termos lacanianos e da teoria lacaniana. Quanto ao nível matricial, diria que é uma espécie de fórmula essencial, de abertura maciça.

A transferência é uma pulsão: pulsão analítica

Freud pensava que a neurose de transferência era, como eu disse, a atualização, no presente com o analista, de antigos desejos eróticos. Hoje, prefiro dizer que a neurose de transferência é um dos destinos possíveis da pulsão. Sabemos que a pulsão tem quatro destinos possíveis, estabelecidos por Freud na "Metapsicologia":
- a sublimação,
- o recalcamento,
- o retorno para a pessoa própria,
- a mudança de objetivo ativo para objetivo passivo.

Pois bem, a neurose de transferência seria o destino analítico da pulsão, isto é: quando nós nos interrogamos sobre a analisabilidade de um paciente por ocasião de uma primeira entrevista, deveríamos escutá-lo pensando que sua capacidade de transferência se decide essencialmente — digo "essencialmente", porque há outros fatores — na potência da sua pulsão.

Vocês me dirão: quando escutamos um paciente numa primeira entrevista, não pensamos nessas coisas. Tudo bem, mas acostumem-se pouco a pouco com a idéia de que, mesmo que não pensemos nisso, nossa escuta é como que orientada em uma disposição orientada.

A disposição orientada, quando da primeira entrevista preliminar, é a de pensar que esse analisando, futuro analisando, candidato à análise, terá a capacidade de analisabilidade, capacidade de transferência, aptidão para transferir, como se isso ocorresse na potência da sua pulsão, na potência da sua pulsão para deixar a sua fonte, ir em direção ao analista como objeto, girar em torno dele e voltar enfim para o seu ponto de partida.

Do mesmo modo que qualificamos de invocante a pulsão que gira em torno do objeto "voz", qualificaremos de analítica a pulsão que engloba o analista e sobre a qual se organiza uma neurose dita de transferência. Poderíamos dizer que a pulsão analítica vai para o analista, gira em torno dele e volta para o ponto de partida.

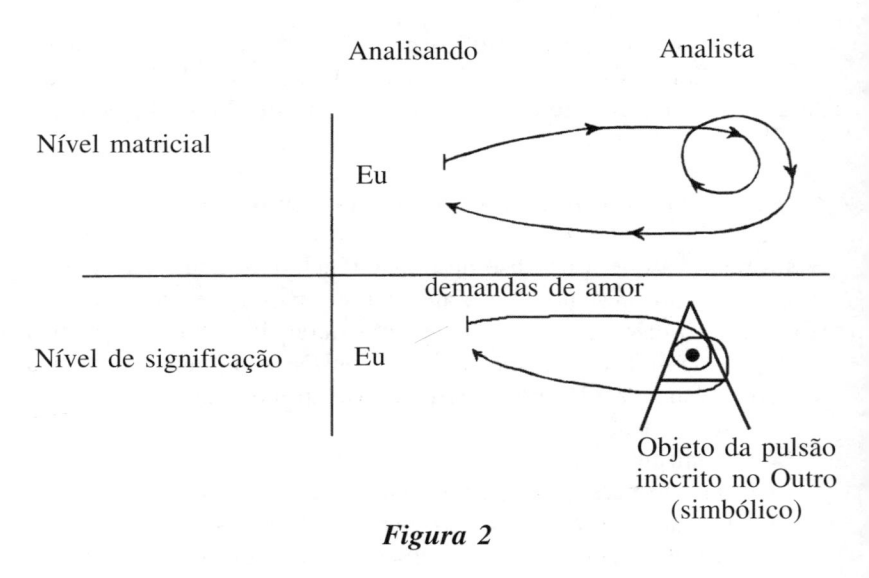

Figura 2

É preciso pois entender o termo geral de *"transferência" como uma atividade pulsional, como um traçado pulsional que sulca uma terra deserta, uma terra que se tornará progressivamente um lugar, um vínculo: o vínculo da análise.* Poderia resumir, dizendo: a transferência é, afinal, a história fragmentária de uma pulsão particular.

O Gozo fálico

Freud diz que a transferência é a repetição, no presente, das experiências pulsionais vividas no passado. Seria preferível tomarmos a palavra "repetição" não como o ponto que liga o antigo ao atual, como se fosse possível que uma pulsão fosse reativada... Considero que as pulsões nunca são reativadas. Toda pulsão é sempre nova. Não existem velhas pulsões reativadas no presente. A pulsão é nova, sempre nova. Penso que não se deveria dar à palavra "repetição", em relação à transferência, esse sentido habitual, literal, de uma repetição do passado no presente.

Vamos à frente e digamos que é melhor pensar o termo "repetição" como uma força, uma potência, algo que insiste, que empurra, que mantém, que persevera, que persiste, como a força que, no atual, obriga a pulsão a criar um laço entre duas pessoas: o analista e o analisando.

Freud pensava que a repetição era entre o passado e o presente, mas reconhecia que existia essa força, que ele chamava "compulsão à repetição". A partir daí, a palavra "repetição" tem este duplo sentido: existe a idéia habitual de repetição de alguma coisa antiga que se repete no presente, e outra idéia, que parece mais audaciosa, mais interessante, mais rica, que diz que a repetição é aquilo que leva a que a coisa persevere e a que a pulsão seja poderosa.

Lacan não chamou essa força de "compulsão de repetição", mas de "Gozo", e não um Gozo qualquer, "Gozo fálico".

O Gozo fálico é o nome que damos à potência de perseverança, de persistência da pulsão. É o que faz com que um traçado se realize, é o que sustenta esse mesmo traçado. É o que Freud, na "Metapsicologia", chama de "o impulso". A essa força, poderíamos dar a conotação de potência fálica.

Uma tal compulsão de repetição, um tal Gozo fálico, um tal impulso é incontrolável e habita todos os seres falantes. Essa pulsão está presente em qualquer vínculo humano, no vínculo com o cônjuge, com o filho, com o patrão etc...

Critério de analisabilidade:
a capacidade de ser afetado pela pulsão

Mas então, o que constitui a sua especificidade em uma análise? O que a torna específica? Vamos responder lentamente. Voltemos à pergunta anterior: em que consiste a capacidade de transferência? Em que consiste a capacidade, a aptidão à transferência do futuro analisando?

Diria, inspirando-me no filósofo Spinoza, que *a aptidão à transferência analítica é o poder de ser afetado** em ato pela pulsão. Não somos todos afetados da mesma maneira, nem todo o mundo sofre com suas pulsões. Há seres que "se viram" à sua maneira, para não sofrer com suas pulsões. É uma primeira resposta.

Nesse ponto, encontramos uma citação de Freud. É interessante, quando vemos citações como aquela, notar que Freud estava muito presente ao mesmo tempo no nível da teoria e do alcance prático dessa mesma teoria. Ele diz: "A terapia analítica tem seus limites. Só pode curar o neurótico na medida em que ele sofre." E acrescenta: "Quando ele não sofre, a terapia fica sem efeito."

Como assinalamos, Freud distingue as neuroses de transferência passíveis de análise das neuroses narcísicas não passíveis de análise.

Agora, temos algo completamente diferente, um terceiro elemento, pois há as neuroses de transferência, as neuroses narcísicas e os seres que não sofrem. Esses seres, como constatamos freqüentemente ao fim de alguns meses de análise, são pacientes que param o tratamento. E veremos que a explicação da neurose de transferência no nível das significações pode, por sua vez, trazer esclarecimentos.

Essa ausência de sofrimento está presente também em certos analisandos que fazem as entrevistas preliminares. Começam as primeiras sessões, os primeiros meses se passam e, ao fim de um certo tempo, eles decidem parar. O analista tem realmente a impressão de que não houve neurose de transferência no nível que vamos definir como sendo o da significação, isto é, não houve neurose de transferência propriamente dita.

Em que consiste a capacidade de transferência? Como definir a aptidão à transferência? Dei uma primeira resposta, que me vem de

---

* Lembremos que, para Spinoza, ser afetado é ser capaz, ter o *poder de*; ter o poder não apenas de agir sobre os outros, mas de *ser permeável à* ação dos outros. Em minha interpretação, considero o futuro analisando como analisável quando ele é de fato capaz de se deixar levar por suas pulsões.

Sobre o conceito de afecção em Spinoza, pode-se consultar: *Pensamentos metafísicos*, cap.III, e *A ética*, Proposições XVI e XXV da 2ª parte; Proposição LI da 3ª parte; e Proposições I, X e XIV da 5ª parte.

Spinoza, dizendo que a capacidade de transferência, a aptidão à transferência analítica é o poder de ser afetado em ato pela pulsão. Em termos mais gerais, é sofrer com a pulsão. É a primeira resposta. Mas restam-nos muitas outras respostas em torno da aptidão à transferência. Resta-nos defini-la um pouco mais precisamente e terminaremos então a nossa exposição. Antecipo o fato de que ainda não a definiremos plenamente, mas nos aproximaremos disso.

Por exemplo, poderíamos dizer que o que estamos afirmando é que a neurose de transferência é um destino, o destino analítico da pulsão, e as coisas seriam assim porque isso faz pensar a transferência como uma atividade pulsional e não como sentimentos que se têm pelo analista. Concordo. Mas então, voltam as perguntas: quais são as especificidades desse destino e como definir este último?

Como existe a pulsão oral, anal, escópica, invocante, existiria uma pulsão analítica, que se expressaria na neurose de transferência? Sim, fazemos questão de dizer, poderíamos pensá-la assim, como uma pulsão a mais. Mas esse "sim" é um tanto incerto.

Eis pois as perguntas que procuram definir a aptidão à transferência. Mas, para responder nesse sentido, é preciso que abordemos o segundo nível, que é o da significação da neurose de transferência.

Nível da significação da transferência

Em seus textos, Freud diz: "Como a neurose de transferência se instaura no início da primeira fase do tratamento, ocorre um fenômeno muito particular: muitas vezes, os sintomas pelos quais o paciente procurou o analista desaparecem." E se certos sintomas persistem, eles vão levar, veicular uma nova significação que Freud chama "uma significação transferencial". Nesse momento, há apenas os sintomas que serão significantes pela transferência, que vão levar a significação da transferência. E depois, acrescenta Freud, "não só os antigos sintomas desaparecem, os que persistem vão ser conotados pela transferência, mas também aparecerão novos sintomas específicos à relação analítica". Estes, é claro, também levam a marca da significação transferencial.

O nível de significação da neurose de transferência diz respeito, justamente, ao que ele chama de significação transferencial desses novos sintomas, ou dos antigos que persistem e que têm uma nova significação. Essa significação transferencial dos novos sintomas ou dos antigos que continuam é uma significação fálica.

O que vocês pretendem dizer quando afirmam que a significação transferencial desses sintomas seria uma significação fálica? Isso quer dizer que esses sintomas vão ser conotados com um sentido sexual, transferencial e sexual. Ao invés de dizer "transferencial e sexual", dizemos mais precisamente, como Lacan: uma significação fálica. A palavra "fálica" vem marcar de modo mais rigoroso o que chamamos de natureza sexual.

Em resumo, poderíamos dizer que a diferença entre as neuroses de transferência e as neuroses narcísicas vai atuar não só no nível matricial, mas também no nível da significação. Nas neuroses narcísicas, isto é, a melancolia, a paranóia, a esquizofrenia, não há significação fálica. Nas neuroses de transferência, isto é, a histeria, a fobia, a obsessão, os sintomas são conotados com um sentido transferencial e sexual.

Vamos agora ao nosso tema pontual, que é o nível de significação das neuroses de transferência, o nível de significação fálica. Estabelecendo esse nível de significação das neuroses de transferência, o nível de significação fálica, poderemos precisar melhor em que consiste a capacidade de transferência em um neurótico.

A significação transferencial

Mas o que quer dizer significação transferencial? É preciso começar por compreender que a significação transferencial de um sintoma, antigo ou novo, é aproximadamente como a de uma mensagem, como se o sintoma fosse uma mensagem destinada ao terapeuta, instituído agora como interlocutor. Quando Freud diz que, na neurose de transferência, os sintomas levam uma significação transferencial, isso quer dizer que os sintomas se dirigem ao analista. Não é somente uma transferência sexual, mas eles se dirigem ao analista. O analista se tornou o interlocutor. Mas os sintomas só se dirigirão ao analista com uma condição bem precisa.

Diferença entre psicoterapia e psicanálise

Do que estamos dizendo, o que importa é o fato de que haja uma condição bem precisa para que novos sintomas apareçam e para que os antigos levem uma significação transferencial, que vai dar a essência do nível de significação das neuroses de transferência. É uma condição muito precisa que não só permitirá esse surgimento das significações transferenciais, mas que, além disso, vai distinguir a terapia analítica de todos os outros métodos psicoterapêuticos. É essa condição que vai diferenciar a psicoterapia da psicanálise.

Diferenciar a psicoterapia da psicanálise, é fácil de dizer. Na verdade, é preciso ser prudente e dizer que é um critério importante para distinguir a psicoterapia da psicanálise. Essa condição especifica a transferência analítica em relação a qualquer outra transferência implicada nas relações humanas habituais.

Qual é essa condição? É que o analista encarne, por suas atitudes ou por seu comportamento, pelo tom da voz, pelo modo de dar a mão, por todas as manifestações, que o analista encarne o mais fielmente possível **a expressão imaginária do objeto insatisfatório da pulsão**. O analista deve encarnar ou tentar encarnar a figura imaginária do paradigma de todo objeto, isto é, o falo. Em outras palavras e em resumo: o analista encarna o falo imaginário.

Logo, a condição para que os sintomas do analisando sejam uma mensagem destinada ao analista, é que este não se situe na posição de destinatário dessa mensagem. É como que uma astúcia. Para que os sintomas do analisando levem, veiculem uma significação transferencial, isto é, para que eles se dirijam ao analista, é preciso que este venha a ocupar o lugar, se aproxime o mais possível da expressão imaginária do objeto da pulsão. Ora, esse objeto da pulsão é um objeto insatisfatório.

Não posso descrever toda a teoria da pulsão, mas sabemos que a pulsão permanece, por natureza, insatisfeita. Não existe objeto que satisfaça a pulsão. A pulsão quer sempre satisfazer-se, mas nunca se satisfaz. Pois bem, é preciso que o analista ocupe, se aproxime para dar a expressão imaginária, o véu imaginário desse objeto. Se o analista procura se aproximar o mais possível desse objeto, da expressão imaginária desse objeto, então automaticamente ele institui, quase sem saber, sem procurar, a dimensão muito importante de um grande Outro, interlocutor das mensagens que o analisando lhe dirige. É na medida em que o analista vem a encarnar essa expressão imaginária do objeto que automaticamente, sem que ele procure, ele se institui como um grande Outro interlocutor, para quem vão se dirigir as demandas, as mensagens do analisando.

O desejo do analista

Deveríamos dizer que esse falo imaginário, a expressão imaginária desse objeto, se apresenta não sob a forma de uma luz ofuscante, não sob a forma de uma irradiação, mas sob a sua forma mais opaca, mais enigmática, mais desconhecida: o **x** do analista.

Lacan o chama de "x" do analista, o "x desconhecido do analista" e muitas vezes ele o nomeia com esta expressão tão difícil de apreender nos textos lacanianos: "desejo do analista".

O que é o desejo do analista? É o lugar do objeto recoberto pelo véu de um falo imaginário, opaco e enigmático. É isso o desejo do analista.

A expressão "desejo do analista" não quer dizer o desejo da pessoa do analista. Não é o desejo de tornar-se analista. A expressão "desejo do analista" é uma expressão estrutural. É o lugar do objeto recoberto pelo véu de um enigma. É o objeto apresentado sob sua forma enigmática. É só com essa condição que o analista poderá ocupar esse lugar. Isso quer dizer que todo o seu comportamento — a maneira como faz o paciente entrar, como fala com ele, as palavras que usa para fazer as suas intervenções, a duração destas, o tom de sua voz etc. — contribui para que o analista venha ocupar esse lugar. E é ocupando esse lugar que automaticamente ele institui, sem saber e sem perceber, o grande Outro, o referente, o interlocutor dos novos sintomas que vão aparecer e que vão trazer a significação transferencial.

O analista veste o objeto com o mistério do seu silêncio e da sua recusa, para fazer sentir e lembrar que o objeto é sempre insatisfação. Façamos silêncio em nós, aproximemo-nos do objeto insatisfatório da pulsão, aproximemo-nos da sua imagem enigmática e faremos aparecer o grande Outro. Faremos surgir a autoridade, faremos aparecer o grande Outro referente, instituiremos a autoridade do Sujeito Suposto Saber. Essa autoridade existe em qualquer terapia. Um psicoterapeuta é uma autoridade para o seu paciente, e esta existe qualquer que seja a terapia, mas é somente na psicanálise que essa autoridade, essa dimensão do grande Outro, interlocutor dos sintomas portadores da significação transferencial, nasce graças ao comportamento técnico de um operador, de um prático que sabe evocar a natureza opaca do objeto.

O analista assume pois ter que ocupar esse lugar e, como primeiro efeito, produz-se a instituição do grande Outro, do Sujeito Suposto Saber, da autoridade. Segundo efeito importante sobre o analisando, desta vez: se o analista ocupa esse lugar do enigma, faz silêncio em si, vai exercer sobre o analisando uma certa sedução. O analista vai seduzir, mas seduz de modo diferente do histérico: vai seduzir e vai suscitar no analisando o aparecimento de novos sintomas que trazem a marca da transferência.

Demandas de amor

O analista vai provocar demandas de amor por parte do analisando. Vai provocar demandas que é preciso esclarecer, incluindo, entre estas, demandas de saber, de reconhecimento, momentos silenciosos até uma parada das associações do analisando, como se ele falasse e se interrompesse. Teoricamente falando, é de uma demanda de amor no nível da significação que estamos falando: uma parada súbita de que Freud já falou, e também nós, algumas vezes. Também podemos incluir aí falhas no enunciado, que surpreendem o analisando e são marcadas pela fórmula "Nunca tinha pensado nisso". Tudo isso constitui formas diferentes daquilo que podemos chamar de demandas de amor suscitadas pelo fato de que o analista ocupa esse lugar.

Nem todo o material de um paciente em análise é transferencial. Nem tudo o que um paciente diz é demanda de amor. Mas certas demandas de reconhecimento e de saber o são. Isso afeta também o sintoma como demanda de amor. São manifestações no analisando suscitadas pelo lugar enigmático do analista, em posição de desejo do analista.

Por que essas demandas se chamam "demandas de amor"? Porque exigem do analista, não em posição de desejo do analista, mas em posição de grande Outro, que ele dê ao analisando o que o analista possui, que ele lhe dê o que o analisando lhe atribui e supõe que ele possui.

Primeiro tempo da demanda de amor: o analisando quer que o grande Outro lhe dê. Se o analista não ocupa esse lugar imaginário que recobre o objeto, então a transferência se converte em pulsão pura. Se o analista não ocupa esse lugar, não haverá grande Outro referente, não haverá demandas, palavras, manifestações, sintomas. O que haverá? Atuações, passagens ao ato, uma espécie de desnudamento do objeto. É o que Lacan diz em uma frase que constitui sempre um objeto de discussão entre leitores lacanianos.

A transferência faz surgir a pulsão, o desejo do analista faz falar

Lacan diz, nos *Quatro conceitos fundamentais da psicanálise*, ao falar da transferência e da pulsão: "Se a transferência é o que da pulsão afasta a demanda, o desejo do analista é o que a reconduz a ela." Lacan diz isso, e os lacanianos quebram a cabeça. Não entendem. Esta é a leitura que eu faço: se a transferência é o que da pulsão afasta a demanda — isto é, se a transferência se manifesta, se tende a se manifestar como pulsão, tende a chegar enquanto pulsão, tende a se dar abertamente nas pulsões — o desejo do analista — isto é, a ocupação do analista enquanto vindo cobrir com um véu o objeto — é o que reconduz a demanda. Seria preciso dizer: se se deixar a transferência manifestar-se enquanto pulsão, não haverá demanda, não haverá palavras; haverá atos. Mas, em contrapartida, se o analista, a partir do desejo do analista, vem cobrir o objeto com esse véu enigmático, então ele suscitará a fala e esta reaparecerá. É por isso que a origem da fala, a condição para que o analisando fale e se engane, a condição para que haja novos sintomas, a condição para que haja demandas de amor, é que o analista venha ocupar o lugar desse falo imaginário que cobre o objeto da pulsão.

Concluindo, se a transferência é o que da pulsão afasta a demanda, o desejo do analista é o que a reconduz a ela. E acrescentamos: ele reconduz a demanda, a atrai, a suscita, a provoca e a orienta. Não a provoca apenas, mas também a orienta. Orienta para onde? Para o grande Outro. Faz com que os sintomas se dirijam a um interlocutor privilegiado. A posição do analista diante do falo imaginário faz com que o analisando espere receber dele esse objeto.

A coisa mais importante que devemos assinalar hoje, a questão essencial, a condição importante do nível de significação na neurose de transferência, é que o analista venha encarnar o véu imaginário que cobre o objeto da pulsão. Essa condição tem três efeitos: **primeiro efeito**, a instituição de um grande Outro simbólico, podemos dizer de um Sujeito Suposto Saber, ou de um interlocutor privilegiado, como nós o chamamos; **segundo efeito** fundamental, suscita no analisando o fato de formular demandas de amor, de produzir novos sintomas, de enganar-se ao falar, de sonhar, de pedir para ser reconhecido etc...; **terceiro efeito**, essas demandas de amor são dirigidas ao grande Outro, para que lhe seja entregue o objeto que ele supostamente possui. "Quero que ele me dê." A demanda de amor é uma demanda de ter o falo do Outro, do grande Outro.

De onde provém a autoridade que o analista tem sobre o paciente?
É interessante, porque várias vezes voltou essa pergunta quanto à proveniência da autoridade do analista. Há uma resposta rápida: a partir do momento em que um paciente telefona para marcar uma consulta, a transferência em direção ao analista já está bem instaurada.

Freud diz, Lacan repete e eu sempre reitero: a transferência já está presente, antes do telefonema.

Certo, mas essa transferência em direção ao analista basta? Quando da nossa primeira reunião, eu observei que o primeiro objeto transferencial do analisando é a relação do analista com a análise e, quando o analisando, o futuro analisando, o paciente chega para consultar esse analista, na verdade ele já traz em si uma pré-transferência ou uma transferência prévia. Isso acontece mesmo quando não há demanda de análise. Há pessoas que telefonam e não é porque elas achem necessário encontrar um analista. Pensam que vão encontrar um terapeuta. Não sabem muito bem quem elas vão consultar. Mas nisso há algo da ordem de uma transferência prévia, que já está presente, que é muito importante reconhecer, e não forçosamente sob a forma de uma "transferência para o analista". É a transferência para alguém que está ali para ouvir, para escutar. Já ressaltei que isso vai atuar na relação do operador, do clínico com a disciplina que ele realiza, com o seu trabalho, com a sua relação com a comunidade, com os ideais etc.

Agora, hoje, preciso mais ainda e digo: não, não basta que a transferência já esteja presente antes; isso não basta, a relação do terapeuta com a análise. Para que haja instituição de autoridade do analista sobre o seu paciente, é preciso que o analista se faça silencioso, enigmático, que fale pouco porque, quanto mais ele falar, mais ele se afastará do "menos phi" ($-\varphi$). Quanto mais falamos, mais nos afastamos. Quanto menos falamos, mais nos aproximamos. A autoridade do analista, a instituição do grande Outro provém do fato de que o analista se aproxima cada vez mais desse lugar.

A escuta capta o inconsciente do outro em seu próprio silêncio. A escuta capta o outro em seu próprio silêncio.

Elementos de apreciação para passar ao divã

1º. Disposição do terapeuta:
Este deve fazer várias entrevistas iniciais, sem se preocupar com o divã.

2º. Diferentes manifestações objetivas devem aparecer no relato do paciente:
• ligadas a fatos íntimos de caráter sexual,
• ligadas a acontecimentos bem precisos de sua infância,
• ligadas à relação com o analista,
• ligadas às dores do corpo,
• sonhos,
• lapsos.

Todos esses sinais são dirigidos pelo paciente ao analista como interlocutor. Mas, ao mesmo tempo, o analista tem a sensação de que sua imagem, sua presença visual é excessiva, perturba e incomoda o paciente.

3º. O paciente deve se deitar quando o analista tem a impressão de que **sua presença perturba o relato do paciente.**

Respostas às perguntas

Vamos agora abrir o diálogo sobre a distinção entre psicoterapia e psicanálise. Hoje, tentei fazê-la. Gostariam de expressar as suas reflexões?

O sr. abordou o tema muito rapidamente, durante uma frase. É verdade que penso que as psicoterapias utilizam a teorização da análise, mas o que o sr. desenvolveu hoje marca, de modo muito singular, um ponto entre uma posição na psicanálise e a maneira pela qual, no seio de uma psicoterapia, utilizam-se as referências da análise. Seria esse, para o sr., o único modo de distinção, que melhor caracterizaria essa distância, ou o sr. poderia acrescentar algo?
Os psiquiatras de hoje ou os psicoterapeutas de hoje não estão preocupados em pensar, em refletir no fato de instaurar com seus pacientes uma neurose de transferência. Já é uma resposta geral muito

mais aberta e mais precisa. A primeira resposta geral é que a primeira coisa que se apresenta como distinção essencial entre a psicoterapia e a psicanálise é que nós, os analistas, pensamos que é preciso intensificar a doença. Um psicoterapeuta e principalmente um psiquiatra não concordariam com o fato de refazer a doença.

Mas nós, nós o esquecemos, nós acreditamos, nós temos preconceitos. Penso que existem preconceitos fecundos e infecundos. Os preconceitos fecundos são os que nos interrogam sobre o impossível. Os preconceitos infecundos são os que nos interrogam sobre nossa impotência, para falar em termos lacanianos.

Pois bem, um preconceito infecundo que nos faz pensar no problema da potência, é o de dizer, por exemplo, que a diferença entre psicoterapia e psicanálise é que nós, analistas, interpretamos a transferência. Isso me parece extremamente pobre. É exato mas é pobre. Se, em contrapartida, digo a um terapeuta ou a um analista que, quando aceito um analisando, preparo-me para criar um estado mórbido, dito assim, subitamente. Isso nos detém, provoca uma certa reserva e chama a nossa atenção. Nem sempre temos essa reserva e essa prudência. Esquecemos, acreditamos no nosso preconceito infecundo que diria que o analista está ali para escutar e interpretar. Isso não é correto! O analista está ali para participar de uma neoformação, a criação mórbida de um tecido vivo.

Então, que diferença há entre psicoterapia e psicanálise?
Primeira resposta: um psicoterapeuta não diria que aceita o risco, a atitude de fazer parte de um novo estado mórbido, por exemplo. Além disso, a posição que ele adota é como se esse psicoterapeuta já se situasse na posição do objeto *a*, enquanto o analista não se situa de início na posição do objeto *a*. Ele não começa por ali. Ele se situa primeiro em posição de véu, ele se reduz, se reserva, se faz pequeno. No início de uma sessão, ele não diz: "Fale comigo!", ele diz: "Sim, estou ouvindo, estou escutando". Mas na verdade "estou escutando" é o único fragmento do objeto "*a*" que existe para que, logo, ele se converta em véu desse objeto.

Vamos precisar um ponto: o véu do objeto não é apenas o silêncio. Fazer silêncio é a maneira mais certa, mais simples que esse véu adota. Mas há outras maneiras que só se adquirem com a experiência, para que um analista possa estabelecer um tratamento particular com o seu analisando, conservando ao mesmo tempo esse lugar de véu do objeto. Isso faz parte da experiência e da prática.

Evidentemente, o paradigma desse véu é o silêncio. O silêncio é a maneira mais simples, mas também a mais prudente, mais correta, e principalmente mais simples de pensar esse véu. Há outras, muito mais ativas e muito mais delicadas de manejar, que também existem. Por exemplo, o tom da voz, o modo de dizer uma interpretação, como, por exemplo, o modo de fazer uma intervenção explicativa e ampla nos afasta desse lugar.

Mas pode acontecer que um analista, com uma certa experiência de confrontação com esse lugar, possa falar com o analisando depois que este se levantou do divã e, entretanto, não perder esse caráter de enigma do desejo do analista.

Como explicar isso?
Não posso ir além, este é o meu limite, pelo menos o meu limite esta noite. Não sei como explicar como um analista que fala depois de levantar-se do divã permaneça na posição do desejo do analista, apesar das suas palavras, apesar dessa troca não aconselhada pelo próprio Freud. Aqui, é preciso recorrer ao poeta, a René Char. Ele sabe dizer as coisas melhor do que nós: "Os vestígios fazem sonhar".

Que diferenças o sr. vê entre as intervenções de um jovem terapeuta e as de um analista experiente?
Poderíamos apresentar assim a evolução das intervenções de um jovem terapeuta:
 1. Ele interroga
 2. Reformula com outras palavras
 3. Amplia o sentido do que foi dito
 4. Coteja o que acaba de ser dito com ditos precedentes
 5. Repete uma palavra, enfatiza
 6. Dá um tema de reflexão para a sessão seguinte
 7. Detecta as alusões à situação analítica
 8. Completa uma frase do paciente deixada em suspenso
 9. Não interpreta, ou interpreta muito pouco
 10. Não precede o paciente, não antecipa o que ele vai dizer
 11. Não sabe o que procura.

O último ponto caracteriza mais um estado de espírito do que uma intervenção.

Em que momento se pode propor o divã ao paciente?

A neurose de transferência nos interessa por várias razões. Uma, por exemplo, é que existem manifestações dela não só no seu nível matricial, mas também no nível de significação nas entrevistas preliminares, chamadas "entrevistas iniciais". As manifestações da neurose de transferência nas entrevistas iniciais representam uma espécie de indicação, de sinal — mas isso não é uma regra — que mostra que, efetivamente, é o momento adequado, oportuno, na terceira, quarta, quinta entrevista preliminar, para que se proponha a um analisando ou a um consulente que se deite no divã.

Uma das manifestações que se apresenta freqüentemente logo nas entrevistas iniciais — concordamos com Freud dizendo que a neurose de transferência já se instaura na fase de abertura — é que acontece que a instituição, a instigação da demanda de amor já se produz nesse momento, na terceira ou quarta entrevista inicial, e que essa demanda de amor não seja nem necessária nem manifestamente uma demanda de amor ao analista.

Às vezes, no período das entrevistas iniciais, principalmente nas três primeiras, pergunto ao paciente, em algum momento da entrevista: como ele partiu, depois da primeira ou segunda entrevista? O que ocorreu nesse intervalo? E às vezes ele relata experiências, lembranças ou efeitos tais que me fazem pensar, deduzir que são equivalentes dessa demanda de amor. Por exemplo, ele sonha com o analista, quando ele ainda não é seu analisando ou ainda não está no divã. É o caso de alguém que veio me consultar e que, na terceira entrevista, conta: "é estranho, mas na noite passada — ou há duas noites — sonhei com você". Isso nem sempre acontece. Mas eis um sinal, muito importante, uma indicação, uma sugestão para o analista que, efetivamente, pode propor o divã a esse paciente. Ou ainda, já falando do contexto da entrevista, acontece que o paciente se surpreenda com as palavras que pronuncia ou qualquer outra manifestação que englobamos sob o termo de "demanda de amor". Cada vez que há demanda de amor, pode-se propor o divã.

Mas o que eu queria dizer no início da minha exposição e retomo agora, é que há duas coisas importantes na neurose de transferência: uma, é que ela se institui no começo e a segunda, é que ela se manifesta através de sinais de conduta por manifestações do tipo de demandas particulares que já são indícios para que o divã seja usado.

O sr. nos aconselharia a permanecer em silêncio uma vez terminada a sessão, como Freud preconizava?

Uma precisão quanto a essa questão: não digo que o analista deva ser silencioso. Digo que o silêncio é a melhor forma, a mais simples, a mais segura, a mais prudente para velar o objeto. Mas de fato, há outras maneiras mais ativas que podem lembrar o objeto sem necessariamente, fazer silêncio: a maneira de dar a mão, de olhar, de falar etc.

Lembro-me de um episódio que se repetiu na época lacaniana dos anos 70. Lembro-me de como vi colegas de dispensário agirem. Chegavam uma mãe e seu filho, mandados pela escola. Não era uma consulta particular. O terapeuta ficava mudo durante toda a entrevista preliminar. Na verdade, não dizia nada durante as entrevistas preliminares, nem à mãe, nem à criança. Naturalmente, ao fim de três ou dez meses com esse terapeuta, a escola não mandava mais ninguém para o dispensário. Foi assim que — e isso é muito sério — num dado momento, houve uma crise no nível dos dispensários. Acho que a situação mudou muito, porque não se pensa mais que o silêncio seja uma lei.

Insisto: o silêncio é uma precaução para o analista, mas é uma precaução em última instância. Nosso erro é acreditar que, quando Lacan diz: "fazer-se de morto", isso significa que o analista deve fazer silêncio. De modo algum. Está muito claro, como na "Direção do tratamento e os princípios de seu poder": "fazer-se de morto" significa que o analista faz silêncio em si, no interior de si, para suscitar o grande Outro do analisando. É isso que dizemos. Fazer-se de morto não é calar-se. É um "calar" muito particular, difícil de definir. É melhor usar uma expressão diferente, "fazer silêncio-em-si", expressão que não cria problemas de compreensão.

E quanto à capacidade de transferência nos adolescentes?
Houve discussões, debates entre analistas, a respeito da aptidão à transferência das crianças. Nesse ponto, Melanie Klein deu uma contribuição preciosa para afirmar a transferência nas crianças. Houve um famoso simpósio, em 1927, durante o qual ela discutiu o tema com Anna Freud.

Quanto aos adolescentes, eu diria que eles não são refratários à transferência. Mas é verdade que, quando recebemos adolescentes, há neles uma atitude, principalmente nas primeiras entrevistas, que não é a mesma de um neurótico que sofre e vem nos consultar. Isso, em minha opinião, por uma razão: é que há superinvestimento no corpo, no nível das representações do corpo no adolescente, que lembra o tipo de superinvestimento narcísico das neuroses narcísicas, do tipo paranóia ou melancolia. Evidentemente, não são estados mórbidos, mas os adolescentes estão preocupados com seu corpo e no seu corpo. A libido, diria Freud, é superinvestida em certas partes do corpo. Além disso, a adolescência é um momento no qual não só existe esse superinvestimento dos lugares do corpo, mas também existe uma modificação do grande Outro, que está em vias de produzir-se. Há transformações no nível da relação simbólica com os seus referentes. De modo simples e rápido, eu desejaria dizer que os adolescentes não são refratários à análise, mas é verdade que eles exigem uma certa posição, uma certa atitude por parte do analista, que não é a mesma que com um neurótico.

*
* *

III
A natureza da transferência

Formar a percepção sutil do psicanalista

O objetivo deste ensino é formar psicanalistas, isto é, poder intervir no caminho que leva um clínico a tornar-se analista e dar-lhe a ocasião de pôr à prova o seu próprio engajamento na psicanálise.
Mas o que se forma? Como diria Heidegger, qual é o ser da formação do psicanalista?
Nossa preocupação maior não é fornecer conhecimentos, nem propor uma habilidade. Esse ensino visa, principal e essencialmente, formar, modelar e orientar aquilo que eu chamo "o Eu do psicanalista". Não o seu Eu consciente, mas o Eu compreendido como **uma superfície de percepção.**
Sabemos que Freud utiliza a expressão "prova de realidade" para compreender a seleção que o Eu opera quando tem que distinguir as excitações que vêm do exterior das que vêm do interior. Essa seleção é chamada por Freud de "prova de realidade".
Penso, e proponho-lhes que pensem, que o Eu do analista é, antes de tudo, uma superfície de percepção sobre a qual as excitações não se diferenciam entre as que são endopsíquicas e as que são exopsíquicas. Quanto ao Eu do analista, as excitações não são nem internas nem externas. Eu diria que, quanto ao Eu do analista, toda percepção se mede por um só dono: o dono do falo. Isto é, generalizando, ele só percebe desejos sexuais, onde aparentemente só existem as manifestações mais desprovidas de sensualidade.
Formar psicanalistas é favorecer neles a percepção de um desejo sexual onde este se mostra aparentemente inexistente. Fazer de modo

com que o olho, o ouvido, os sentidos se habituem pouco a pouco a perceber as forças pulsionais através das manifestações concretas na análise.

Vou ler uma pequena frase de Freud, em que ele nos dá uma indicação muito próxima do que acabo de dizer. Está no texto "A dinâmica da transferência", ao qual voltaremos várias vezes. Freud diz: "Concluímos que todas as relações de ordem sentimental utilizáveis na vida, tais como a simpatia, a amizade, a confiança etc., todas essas relações emanam dos desejos verdadeiramente sexuais." Mais precisamente: "... emanam por apagamento do objetivo sexual, dos desejos verdadeiramente sexuais." E acrescenta: "A psicanálise nos mostra que pessoas que acreditamos apenas respeitar, estimar, podem continuar a ser, para o nosso inconsciente, objetos sexuais."

Corrigirei a frase, dizendo: a psicanálise nos mostra que pessoas que acreditamos apenas respeitar e estimar, podem, para a nossa percepção inconsciente — isto é, para a do analista — continuar a ser objetos sexuais.

O trabalho que fazemos neste seminário, os esquemas, as referências à nossa prática finalmente são apenas meios indiretos para conseguir mudar o modo habitual de percepção operado pelo Eu do analista, como se o ser da formação analítica fosse a transformação, a mudança lenta e contínua da orientação da superfície perceptiva do Eu. Como se o psicanalista tivesse que aprender a abandonar, num certo momento da escuta, as orientações espaciais e temporais usuais, para acostumar-se progressivamente com uma nova orientação e mergulhar numa outra realidade, que é a realidade sexual, isto é, uma realidade regida pelo falo.

Não sei se sentem o que tento dizer. Não se trata de uma proposição geral que lhes dou. É algo que percebo vivamente na minha própria prática e que tento transmitir-lhes, por meios absolutamente diversos e indiretos, sabendo ao mesmo tempo que é muito difícil, precisamente, transmiti-los e fazer com que sejam sentidos.

A seqüência dolorosa da transferência

Algumas vezes, essa realidade sexual regida pelo falo se manifesta nitidamente. Ela não fica oculta por trás das manifestações desprovidas de sensualidade. Pelo contrário, são manifestações muito intensas, excessivas, fortes, como se a pulsão fosse desnudada. É o que chamamos habitualmente, na psicanálise, de momento, seqüência dolorosa da transferência. A transferência, a neurose de transferência se manifesta por esse estado intenso, excessivo na relação entre o analista e o analisando.

A transferência é uma pulsão: pulsão fálica

Estávamos preocupados, na última vez, em responder a seguinte pergunta: como compreender a analisabilidade de um paciente?

Para estabelecer esse critério de analisabilidade, retomamos a classificação freudiana clássica de neurose de transferência e de neurose narcísica. Essa distinção é criticável do ponto de vista prático, porque hoje sabemos que até mesmo as que são chamadas neuroses narcísicas — isto é, as psicoses — também são passíveis de transferência. Entretanto, essa distinção me parece útil para trabalhar teoricamente e compreender a dinâmica desse momento essencial em um tratamento, que é o momento da transferência ou neurose de transferência.

Minha intenção esta noite é detalhar melhor a natureza desse momento e apresentar-lhes uma hipótese, que é a seguinte: a neurose de transferência corresponde ao destino de uma pulsão específica à análise, que chamo de "pulsão fálica". Verão que se trata de uma nova pulsão, acrescentada à lista já estabelecida das pulsões parciais. Em geral, elas se reduzem a quatro: oral, anal, invocante e escópica, e nem incluo a pulsão sadomasoquista. Diríamos que há uma infinidade de objetos pulsionais e que existem muitas pulsões parciais, mas estou acrescentando aí uma nova pulsão. Creio que essa pulsão fálica explica muito bem a estrutura da transferência, tal como a encaramos hoje.

Na última vez, distinguimos dois níveis: o nível matricial da neurose de transferência e o nível da significação. São dois níveis de produção da neurose de transferência, dois níveis de causação.

Primeiro nível: matricial

No nível matricial, a causa da neurose de transferência, a causa do aparecimento desse momento, dessa seqüência de transferência, é o objeto da pulsão. Esse objeto atrai a pulsão e a faz girar em torno dele.

Segundo nível: a significação

No segundo nível, o da significação, vimos que a causa da neurose de transferência não é o objeto, mas o véu que cobre o objeto.

Vimos que o que encarna o véu que cobre o objeto é a reserva, a atitude reservada, silenciosa, do analista. Precisei então que cobrir o objeto da pulsão com o silêncio não significa estar constantemente, e de maneira rígida, em silêncio. É um silêncio matizado, um "silêncio-em-si". Não achei melhor expressão para falar desse silêncio, senão dizer: "o silêncio-em-si". Nessa segunda causa, estamos no nível da recusa, considerando que esse véu que se manifesta pelo comportamento do analista seria, do ponto de vista estrutural, dinâmico, o que, na teoria lacaniana, chamamos de "falo imaginário".

Assim, começamos a fazer essa distinção e a elaborar a dinâmica desse movimento da transferência. Hoje, desejo marcar novamente os dois níveis, mas com uma abordagem um tanto diferente. É a mesma distinção, porém com mais precisões.

Existe um texto freudiano, muito pequeno, de cinco páginas, no qual ele tenta explicar como uma pessoa sucumbe à neurose. Freud quer compreender como, em que circunstâncias uma neurose se instaura em alguém. O título desse texto é "Sobre os tipos de entrada na neurose". É um pequeno texto de 1912, que faz alusão a outro texto, quase do mesmo ano, e que se chama "A disposição à neurose obsessiva". São dois textos curtos, em que Freud faz breves reflexões sobre questões de que se ocupava, como por exemplo o desenvolvimento da libido, o problema do Eu.

Proponho-lhes a leitura do primeiro desses textos, "Sobre os tipos de entrada na neurose", modificando o título para "Sobre os tipos de entrada na neurose de transferência", e verão que mesmo nesse texto é perfeitamente legítimo lê-lo pensando não na neurose em geral, mas na neurose de transferência. E certamente reconhecerão sem dificuldade a mesma coisa que dissemos de outra maneira.

Freud diz: "Efetivamente, há dois fatores que causam uma neurose; um é o fator disposicional ou predisposição ou disposição, o segundo é o fator desencadeante."

Lembrem-se de que é um texto de 1912 e estamos numa época em que o problema da causa, da etiologia das doenças, se apresenta constantemente. Freud utiliza o termo "disposição" para explicar o problema da constituição. Haveria pois, segundo Freud, dois fatores: o fator disposição e o fator desencadeante. Para nós, o fator disposição corresponderia à causa no nível matricial, e o fator desencadeante corresponderia à causa no nível da significação, isto é, o fator disposição corresponde ao regime da pulsão. O fator desencadeante corresponde ao nível, ao regime da significação e é chamado por Freud de "frustração". Nós o chamamos de "recusa", "véu".

O nível matricial da transferência

Vamos falar do primeiro nível, do fator disposição, ou se quiserem vamos retomar a nossa expressão: nível matricial da causação de uma neurose de transferência. No texto que citamos, Freud se preocupa em dizer: "Sim, pode-se frustrar alguém e fazê-lo entrar numa neurose, mas isso não basta. É preciso que haja uma disposição prévia." Essa é, em parte, a nossa questão.

Antes de começar uma análise, no momento das entrevistas iniciais, ou já estando em tratamento, mas antes de entrar no momento que chamamos de "seqüência dolorosa da transferência", é preciso que o analisando esteja num estado prévio. É o que Freud chama de "disposição".

Como Freud descreve esse estado prévio? Para isso, volto ao texto da "Dinâmica da transferência": "Todo indivíduo a quem a realidade não oferece inteira satisfação da sua necessidade de amor, todo indivíduo insatisfeito se volta, inevitavelmente, com uma certa esperança libidinal, para todo novo personagem que entra na sua vida." E acrescenta: "Assim, é completamente normal e compreensível — esta é a frase que mais nos interessa — ver o investimento libidinal em estado de espera e pronto para dirigir-se para a pessoa do médico."

Essa é uma boa maneira de caracterizar o estado no qual se encontra o paciente que está a ponto de empenhar-se numa análise, e isso nos servirá quando virmos o tema das entrevistas iniciais. O investimento libidinal em estado de espera está pronto para dirigir-se para a pessoa do médico.

Assim ele descrevia a predisposição ou a disposição à neurose de transferência e a toda neurose, se retomarmos o texto, o outro texto de Freud, "Sobre os tipos de entrada na neurose".

Critério de analisabilidade: ser afetado pela pulsão

Numa perspectiva ligeiramente diferente, na última vez propusemos uma concepção semelhante. Não tínhamos falado de investimento libidinal. Não tínhamos falado desta expressão: "inteiramente pronto para dirigir-se para a pessoa do médico", mas, procurando dar uma fórmula para definir o estado de analisabilidade de um paciente, dissemos, inspirando-nos no conceito de potência de Spinoza, que a aptidão à transferência analítica se decide, essencialmente, no poder de ser afetado em ato pela pulsão, isto é, que é analisável todo indivíduo que pode sofrer com sua pulsão.

Discordância temporal: o Eu vai mais rápido que a pulsão

O que queremos dizer com essa expressão, essa fórmula: "sofrer com a sua pulsão"? Para responder, vamos retomar a teoria freudiana do desenvolvimento das pulsões do Eu e da libido, isto é, a pulsão sexual e a pulsão do Eu. Lembrando que estamos ainda no nível da disposição, retomo o outro texto de 1912: "A disposição à neurose obsessiva". Nele, Freud sugere que a disposição à neurose em geral e à neurose obsessiva em particular, e para nós à neurose de transferência, depende desse estado tenso de espera, com o investimento libidinal pronto para saltar sobre a pessoa do médico. Esse estado, diz ele, "é o resultado de uma alteração temporal, ocorrida na infância do paciente". Uma alteração temporal muito particular, porque não se trata de uma alteração do tempo no passado. Freud reconhece que deve essa expressão, "alteração temporal", a Fliess.

Fliess pensava que havia problemas psíquicos derivados de conflitos, de discordâncias no nível do tempo, de relação entre diferentes movimentos das instâncias psíquicas.

Com efeito, segundo Freud, existiria uma discordância, um desacordo entre a linha de evolução progressiva e relativamente uniforme do Eu, por um lado, e o avanço fragmentário, disperso, em fluxos sucessivos, em ondas sucessivas, das pulsões parciais sexuais. Segundo essa teoria, Freud nos faz compreender que, quando um paciente se apresenta para uma consulta de análise, é porque ele se encontra no limiar de uma seqüência transferencial e nós deveríamos supor uma falha temporal, um contratempo, uma defasagem no tempo entre o Eu e a libido. O Eu seria mais rápido que a libido.

A citação de Freud na "Disposição à neurose obsessiva" é esta: "O desenvolvimento do Eu precede no tempo o da libido." E acrescenta: "As pulsões do Eu antecipam a escolha de objeto, antes que a função sexual — isto é, a pulsão — tenha atingido a sua configuração definitiva."

A criança e o espelho

Essa noção de antecipação temporal do Eu em relação à libido é fundamental para nós, pois vai tornar-se precisamente, para Lacan, o pivô do estádio do espelho. É como se Lacan tivesse lido esse texto de Freud pensando no estádio do espelho. É exatamente o mesmo esquema que ele propõe. Essa antecipação temporal das pulsões do Eu em relação às pulsões sexuais corresponde, no vocabulário lacaniano, à defasagem, à distância que existe entre a imagem integrada e unitária do Eu, por um lado, e por outro lado o real disperso dos Gozos parciais.

Sabemos que Lacan dizia que a criança diante do espelho é captada pela imagem global da sua pessoa. É muito importante notar que isso acontece apenas uma vez: o estádio do espelho é um caso excepcional, uma situação de exceção e até diríamos quase mítica. Essa imagem global, essa identificação imaginária, na qual ela se precipita, contrasta com a vida interna do seu corpo, com as sensações perceptivas do seu corpo, com as pulsões no interior do corpo. As pulsões no interior do corpo são a vida que pulula no interior, contrastando com uma imagem integrada, unitária, unida, total no espelho.

É muito importante o que Lacan diz: "Esses contrastes entre a imagem no espelho e o real do corpo são a matriz da formação, não do Eu [*Moi*], mas do Eu [*Je*]."

Ao dizer isso, lembro-me de um episódio do tempo em que tive a oportunidade de revisar a tradução espanhola dos *Escritos* de Lacan. Para minha grande felicidade, isso me permitiu vê-lo freqüentemente, estar muito próximo dele e discutir muitas vezes com ele os verdadeiros problemas de compreensão do texto, e eu aproveitava para fazer-lhe perguntas.

Nessa época, eu nem sempre compreendia os textos dos *Escritos*. Às vezes, até hoje continuo não compreendendo.

Tinha um sério problema, porque em espanhol não se podia traduzir de modo diferente *Moi* e *Je*. Essa distinção entre o "Moi" e o "Je" não existe em espanhol. Hoje, temos entre nós o sr. Braunstein, um amigo que vem do México para visitar-nos e que conhece bem esse problema, pois teve ele próprio que trabalhar com os tradutores. Estávamos pois com Lacan, jantávamos juntos. Lembro-me muito bem, era ao lado do hotel Montalembert. Para mim, é muito importante. Era uma noite, um jantar de trabalho. Mostrei-lhe o texto e lhe disse que, no título, ele escrevera "O estádio do espelho como formador do Eu [Moi]". Ele disse: "O Eu [Moi], que Eu?" E pulou na cadeira, dizendo: "Mas não é o Moi! É o Je!. O estádio do espelho é formador do Je, não do Moi."

É difícil porque, quando se lê o texto, tudo leva a pensar que se trata do Moi, e não do Je, pois o Je aparece pouco no texto. É curioso, mas é assim. Lacan sempre teve o hábito de avançar promessas no título. Esse título é uma mensagem. Já é um conceito, embora não seja desenvolvido no texto. É preciso compreender o Je, não como sendo fundado a partir da imagem do sujeito. Não é que ele se identifique com a imagem que está no Je. Isso se produz, antes, do lado do Moi. O Je se funda na distância temporal entre a imagem, que vai mais depressa do que o corpo, e este último. Com mais exatidão ainda, proponho-lhes pensar o Je, a matriz do Je, como sendo a épura, a linha, o contorno da imagem que aparece no espelho. É essa matriz do Je que, mais tarde, será o sujeito do inconsciente. Na verdade, penso que o Je simbólico, nesse texto, anuncia o conceito do sujeito do inconsciente, que aparecerá muito mais tarde.

Logo, temos o Moi, que é a identificação com a imagem total, o caráter refletido, dessa imagem, o real que é o que a criança sente no seu corpo, e o Je, que é a épura, a linha de contorno da imagem ligada ao problema da antecipação temporal, da distância, da defasagem temporal.

*

Voltemos ao nosso fio condutor. A disposição à transferência consiste em uma alteração da relação entre a imagem do Eu e o objeto Gozo, para utilizar um termo lacaniano muito ouvido e conhecido: o objeto *a*. Ou seja, a relação entre a imagem do Eu e o objeto *a*, como se a imagem cobrisse imperfeitamente o objeto.

Sofrer com a pulsão poderia, pois, traduzir o fato de que esta, insuficientemente velada, está pronta para saltar, a ir à procura de um abrigo, de um porto que a amarre, de um analista que a fixe.

Relembremos a fórmula de Freud: para que uma pessoa sucumba à neurose, é preciso um fator desencadeante — do qual ainda não falamos — mas também é necessária uma disposição que consiste em que a sua pulsão não esteja corretamente velada por uma imagem. Há então uma defasagem no nível da cobertura da imagem sobre o objeto da pulsão. É como se situássemos a disposição no nível da fonte. Uma vez que essa pulsão, essa tensão libidinal pronta para saltar sobre o analista, salta sobre ele, ela não fica sobre o analista, ela volta para si mesma. É um aspecto muito importante.

A neurose de transferência, como dizíamos na última vez, é uma neoformação, um tecido vivo desenvolvido em torno desse pivô central que é o analista, mas seu objetivo é fechar-se circularmente, contornar, englobar o objeto "analista". É preciso que ela o contorne, para que ela volte; isso quer dizer que a expressão de Freud, "o investimento libidinal pronto para saltar sobre a pessoa do médico" poderia se completar assim: pronto para saltar sobre a pessoa do médico, para voltar à sua fonte, ao ponto de partida.

O desejo do analista

Antes de considerar o nível da significação, desejaria deter-me nesse ponto e fazer uma pergunta que já surgiu outras vezes e que ainda surgirá, pois é preciso considerá-la a partir de diferentes pontos de vista: qual é esse "objeto analista" que a pulsão cerca? É a própria pessoa do terapeuta, seu corpo físico, seus sonhos, sua vida, sua teoria, seu pensamento? Esse objeto é a pessoa? Esse objeto que chamamos "analista" é apenas um furo sem nome, sem natureza, sem traço característico? Bastaria dizer "furo". Até seria necessário não dizer "analista".

Então, é a pessoa, é esse objeto-analista que a pulsão cerca? É o furo. É o grande Outro, que situamos no nível da significação, o grande Outro, o Outro interlocutor ao qual se dirigem as demandas? É a imagem, o véu opaco do objeto definido pela atitude reservada, silenciosa do analista que atrai, suscita as demandas, que atrai e suscita os tecidos vivos, a neoformação? Ou ainda, é um representante psíquico?

Freud propõe isso nesse mesmo texto, "A dinâmica da transferência". É uma bela citação: "O investimento libidinal vai se dirigir para o médico, considerado como fazendo parte de uma série, de uma das séries psíquicas, isto é, de uma cadeia de representações que o paciente já estabeleceu no seu psiquismo." O analista seria um representante psíquico singular, o que Lacan teria chamado de um "significante".

Então, qual é esse objeto em torno do qual a pulsão gira, para voltar ao seu ponto de partida? Lacan decidiria a questão e daria uma resposta muito precisa: o objeto em torno do qual a pulsão gira é, antes de tudo, um furo. O objeto "analista", em torno do qual a pulsão gira, é, antes de tudo, o furo coberto com o véu do falo imaginário.

A equação furo + véu se chama, na teoria lacaniana, segundo a minha leitura, = desejo do analista. O desejo do analista = furo + véu; furo + máscara do véu, máscara do furo.

Todas as outras posições de que falamos — a pessoa, o grande Outro, o furo enquanto tal, o representante psíquico — são reconhecidas como posições determinantes por parte do analista, para constituir um elemento que atrai para si a transferência, que atrai para si a pulsão, fazendo-se cercado por ela ao deixá-la voltar ao seu ponto de partida. Todas essas posições são determinantes. Mas, para Lacan, a dominância, a primazia, é a do desejo do analista. Voltaremos ao desejo do analista quando abordarmos o nível da significação.

De que natureza, qual é a pessoa real do analista? Com efeito, devemos encarar esse aspecto do analista que fica sempre na obscuridade, pois é muito difícil dar-lhe um sentido preciso. Refiro-me à pessoa real do analista. Quando falarmos da contratransferência, voltaremos a esse problema. Agora gostaria de ressaltar que a dificuldade de refletir sobre essa interrogação reside em que isso está ligado ao mesmo paradoxo relativo a todo elemento que pertence à dimensão do real. O paradoxo consiste nisto: desde que o real é mordido, deixa de ser real e se torna fantasístico. Desde que o corpo físico real do analista, do terapeuta, é perturbado por uma experiência com seu paciente, esse corpo não é mais real, torna-se fantasístico.

Por exemplo, um analista em supervisão me contou recentemente o seguinte: "Eu estava ativamente empenhado na escuta do paciente e, no momento em que o escutei dizer: "Tenho vontade de mutilar a minha sessão." Nesse momento senti uma dor aguda, forte, intensa, no ventre."

É formidável! É notável que o analista seja sensível a isso, porque responde ao que dizíamos no início: formar o Eu como superfície de percepção, segundo o critério do falo.

É notável porque mil vezes estamos empenhados na escuta, mil vezes temos sensações no corpo e mil vezes não prestamos atenção a elas ou as consideramos como insignificantes.

O fato de o analista comentar que, quando ouviu: "Tenho vontade de mutilar a minha sessão", percebeu uma forte dor no ventre, é uma boa apreciação, que indica que ele se reconhece, mesmo que não tenha pensado nisso, como objeto de uma pulsão que o envolve.

Outro exemplo, este mais geral, não se refere ao corpo, mas desta vez, à vida do analista. É o caso difícil, muito difícil, em geral de pacientes mulheres, que estão além do amor de transferência, que estão na erotomania de transferência e que perseguem o analista. Elas esperam que este termine as consultas. Elas esperam, na rua, para ver o carro que ele pega etc. É um sofrimento que aqueles que não o viveram não conseguem imaginar. É muito difícil, é insuportável. Lacan o chama de "erotomania mortificante". Não para quem vive a erotomania, mas para quem é objeto dela.

Como conceber o mal-estar que esse analista sente na hora de pegar o carro? Sai do consultório, vai procurar o carro e, subitamente, vê passar diante de si, cinco horas depois da sua sessão, a paciente que o esperava, há longas horas, para segui-lo. Que situação é essa? Como nomeá-la?

Evidentemente, nós a imaginamos no quadro da transferência. Mas podemos imaginá-la também como uma passagem ao ato, como um acting out por parte da paciente. Mas como conceber o mal-estar, o sofrimento do analista, o sentimento de mortificação? Como pensá-lo?

Considero que uma dor no corpo exprime, uma vez que o corpo real é mordido pela experiência da transferência, da análise, que esse pedaço de corpo, esse farrapo de corpo, esse ventre do analista não é mais um ventre real; é fantasístico. Mas, a cada vez que me relatam uma experiência semelhante, o que acabo de dizer me parece insuficiente. Eu desejaria que distinguíssemos bem as diferentes posições do analista, que pensássemos em como nos acomodamos, de maneiras distintas, aos vários lugares que os analisandos nos atribuem, a essas diferentes posições.

Sempre temos a impressão de que são posições em que ficamos intactos, como se fossem cadeiras que ocupássemos. Mas não, não ficamos intactos.

Para abordar esse problema, eminentemente difícil, do corpo real do analista, que aliás não foi claramente resolvido até hoje, eu desejaria retomar a alegoria lacaniana da libido imaginada como uma lamela. A libido é uma lamela que sai do corpo, vai até uma certa distância e volta para o seu ponto de partida. Vê-se que estamos descrevendo exatamente o movimento da pulsão. Acrescentemos a essa alegoria da lamela de Lacan uma ficção complementar.

Diremos que a lamela nasce e cresce, estende-se no espaço com múltiplas camadas, porque não é constituída de uma superfície única. Vamos imaginá-la folhada, composta de múltiplas camadas, estratificada. Por que estratificada? Porque há várias pulsões: oral, anal etc. As pulsões parciais nunca estão sozinhas. Deve-se imaginar a pulsão em camadas sucessivas, superpostas.

Vamos imaginar pois a lamela que avança, se estende no espaço, cerca o objeto "analista" e volta para o seu ponto de partida. Deveríamos imaginar esse impulso como camadas crescendo irregularmente.

Acrescentemos agora a essa alegoria a ficção, a idéia de que essa lamela só pode fazer seu trabalho de avanço, sua atividade de progressão e retorno, se puder alimentar-se de um fragmento orgânico totalmente vivo e real, que chamaríamos de enxerto. Como se o corpo real do analista fosse assim um reservatório real para manter e nutrir o desejo do analista. Em outras palavras, é como se o corpo real do analista fosse uma espécie de reservatório real, que permitisse a este ocupar o lugar do desejo, do véu imaginário que cobre o objeto, como se pudéssemos imaginar que o corpo do analista fosse fornecido, provido de tal modo que daria constantemente, que ofereceria a possibilidade ao analista de vir ocupar esse lugar do véu. Mas, ao mesmo tempo, imaginemos que esse corpo seja como um enxerto que alimenta e se alimenta da libido que sai do paciente.

É uma ficção. Não é tão plena quanto eu gostaria, mas seria muito bom que aceitássemos dinamizar o conceito de desejo do analista, dramatizando-o graças a essa intuição kantiana de um corpo enxerto do analista.

Como vemos, estamos fazendo a complementaridade atuar alternativamente entre o desejo do analista — isto é, o furo + o véu que o cobre — e o corpo enxerto do analista.

Creio que ganharemos em habilidade técnica, se conseguirmos ter essa intuição, em certos momentos do tratamento, como foi o caso desse analista em supervisão de quem falei há pouco, a de ser objeto das pregas pulsionais, das invaginações diversas, dos estiramentos e estenosamentos das bordas orificiais. Ganharemos então uma maior flexibilidade para nos identificar ao objeto da pulsão, para vir ocupar o lugar de véu do objeto da pulsão, para melhor encarnar a figura, o véu do falo imaginário.

Se trabalharmos com essa imagem em que somos um enxerto da libido, enquanto estamos sentados, escutamos falar, pensamos. É completamente distinto do clichê do analista que escuta e está pronto para interpretar o sentido das palavras que ouve. São dois analistas completamente distintos. É totalmente diferente se vocês se sentam em sua poltrona para escutar o que lhes dizem, para interpretar, e se sentam na poltrona para sentir e prestar-se a imaginar que são o objeto de uma invaginação lamelar da libido. Então, você escuta de um modo completamente diferente, intervém de outra forma, tem uma percepção absolutamente diferente daquilo que o paciente diz e daquilo que acontece com você. O que tento fazer neste seminário sobre a técnica é provocar, suscitar esse tipo de reflexão.

*

Para podermos voltar ao nível da significação, ressaltemos um ponto acerca do nível matricial.

Para Lacan, a causalidade de um nível matricial nunca se situa, como para Freud, no ponto de partida, mas no nível do objeto. O objeto é atrativo, aquele que é capaz de atrair. O objeto da pulsão, no nível matricial, é um atrativo, um polarizador da pulsão. É esse o nível matricial, o plano da pulsão, o da disposição, do estado inicial, do objeto atrativo. Aqui, a causa é uma causa matricial.

O nível da significação

Vamos agora para o nível da significação. Nesse nível, vamos retomar os três pontos de que já tratamos:
1. O analista encarnando a expressão imaginária do objeto insatisfatório da pulsão, véu opaco da recusa, na medida em que ele pode vir para esse lugar, institui, sem notar, o lugar, desta vez simbólico, da autoridade do Sujeito Suposto Saber. Isso me parece ser uma nuance muito importante. Naquele momento, aproveitamos para dar a especificidade da psicanálise, para diferenciá-la de qualquer outro método. A autoridade do Sujeito Suposto Saber existe em toda transferência: transferência de ensino, psicoterápica, psiquiátrica, em suma qualquer

que seja o tipo de transferência. Mas, a característica própria da psicanálise é que o Sujeito Suposto Saber é um efeito do fato de que o analista ocupa o lugar do objeto. É preciso que o analista se preocupe com aquilo que ele sente em suas entranhas, sem ter que procurar ocupar esse lugar do Sujeito Suposto Saber, para criar a sua autoridade dessa maneira.

Procurem o que sentem, procurem pensar-se como objeto da pulsão, venham para esse lugar de véu fálico imaginário e a autoridade virá instaurar-se automaticamente, sem que se esforcem para isso.

Ao contrário, se a procurarem, não a encontrarão. É justamente o que acontece no início, com uma certa rigidez da parte dos analistas que começam. Essa rigidez é um modo de tentar encontrar o lugar do interlocutor. E o que ocorre é que, para o analisando, essa rigidez se transforma não numa recusa que suscita, mas numa recusa que exclui. E é assim que o paciente abandona o tratamento.

Logo, primeiro efeito: sendo ocupado o lugar do véu de objeto da pulsão, automaticamente se institui essa outra instância simbólica que é a autoridade do Sujeito Suposto Saber.

2. O segundo efeito, desta vez sobre o analisando, seria o de suscitar nele demandas de amor dirigidas à autoridade, ao grande Outro. É ocupando esse lugar que o analista suscita demandas dirigidas não a ele, mas ao grande Outro que ele institui. Essas demandas de amor reúnem o conjunto dos sintomas, das mensagens, das demandas de saber e das palavras dirigidas ao grande Outro que o analista representa.

Até aqui, ainda não estamos na fase da neurose de transferência, da seqüência dolorosa da transferência, na qual não se trata de demandas de amor, trata-se de amor simplesmente, de amor de transferência. E mais do que de amor, trata-se de ódio de transferência, trata-se de dor de transferência, trata-se de angústia de transferência. Não são demandas.

Vamos devagar. O que estou descrevendo é uma dinâmica feita de movimentos e de elementos polarizadores.

A entrada na neurose de transferência

Para chegar a esse momento doloroso da seqüência transferencial, é preciso primeiro que o paciente fale. A fala do paciente não é sempre uma demanda. É preciso distinguir bem a fala da demanda. Desde o início do nosso trabalho, dissemos que falar não é demandar. E entre as demandas, há o conjunto das demandas dirigidas ao grande Outro, que são demandas de reconhecimento, demandas de amor. Essas demandas de amor ainda não são o próprio amor. Para que cheguemos ao próprio amor, é preciso que a essas demandas de amor suscitadas pela atitude reservada do analista, o Eu encontre uma recusa. É **uma primeira recusa**.

Penso no exemplo de um paciente que vi recentemente. Ele tem seis meses de análise, está deitado e diz ao analista, no começo de uma sessão: "Você acha que vale a pena eu gastar dinheiro para vir aqui?". Essa expressão, esses termos são irônicos e, ao mesmo tempo, são o reflexo de um certo engajamento. É um sinal de engajamento do analisando em relação à sua análise. Essa frase, essas palavras não constituem ainda uma transferência. É uma demanda de amor suscitada pela atitude do analista e pelo quadro da análise: o divã, o ritual, o caráter uniforme do lugar, o caráter repetitivo do tempo etc... Esse aspecto de recusa não é dado apenas pelo silêncio do analista, mas é todo o quadro da análise que produz um efeito frustrante, de recusa.

3. Logo, o analisando dirige demandas de amor ao grande Outro e encontra uma primeira recusa. Essas demandas voltam para o Eu. E é nessa volta que vai se produzir uma mudança de registro que nos fará passar da demanda de amor ao amor de transferência, ao ódio de transferência.

Algumas vezes, acredita-se que o silêncio do analista — principalmente os leigos pensam assim — favorece no paciente o fato de encontrar ele próprio as respostas para as suas perguntas, de deixá-lo trabalhar, de fazer a sua tarefa de analisando, de estimular a autonomia do seu pensamento, de respeitar a associação livre e a independência afetiva. Isso é absolutamente falso.

O silêncio do analista provoca uma dependência maior, um apego intenso, uma ruptura de associação e a irrupção de fantasias fundamentais, nas quais o paciente se transforma — como veremos — em objeto sexual do analista considerado como o grande Outro. E é então, na volta para o Eu, depois da primeira recusa, que vai se produzir uma outra ida-e-volta que constituirá o amor de transferência. Digo "amor de transferência" pois é a expressão conhecida, mas pode ser, como ocorre muitas vezes, o ódio de transferência ou a angústia de transferência.

Desejaria dar algumas referências clínicas quanto à maneira como o analisando se apresenta no momento em que sofre a primeira recusa. Quando este volta para si mesmo, nesse momento produz-se uma mudança de registro. Esse movimento se manifesta pelo fato de que o analisando deixa de referir-se ao passado para preocupar-se cada vez mais com o presente da sessão, com o "aqui e agora". Nesses momentos excessivos, ele não quer mais ouvir falar de outra coisa que não seja a relação atual com o seu analista. Os silêncios são então freqüentes, muito mais freqüentes do que antes. Esses silêncios são interrompidos, pontuados por pequenas tosses nervosas. Então, a maneira de falar é hesitante, como se o analisando tivesse a garganta seca.

Edward Glover, em um livro que é clássico e que se chama *A técnica da psicanálise*, consagra dois capítulos ao problema da neurose de transferência, que ele descreve com muita eloqüência:

"Existem sinais típicos da neurose de transferência: os músculos se endurecem ligeiramente, a posição do paciente no divã se torna rígida e vigilante, aparecem crises de ansiedade e, finalmente, quando o paciente fala, declara que não tem nada a dizer e que é o analista que deve falar."

Freud também faz, algumas vezes, descrições impressionantes desse momento. Por exemplo, a célebre frase que muitos conhecem, ao falar do Homem dos Ratos: "O rosto do sujeito exprimia o horror do Gozo ignorado." Para Freud, era o rosto, porque ele olhava o paciente. Ele o via e considerava que esse rosto exprimindo o horror do Gozo ignorado era o sinal manifesto, preciso, de uma seqüência transferencial dolorosa. Freud dizia que nesse momento era a atualização em ato, a presença em ato de uma pulsão sádica anal. Freud comenta esse comportamento do analisando, tal como o descrevemos, como uma tendência da pulsão a se manifestar em ato, e mais do que em ato, em ação alucinada.

Na "Dinâmica da transferência", ele diz: "Lembremo-nos de que ninguém pode ser morto *in absentia* nem *in effigie*." É uma frase que a maioria dos textos sobre a transferência repetem. Mas, dez linhas acima, há, na minha opinião, uma frase mil vezes mais apaixonante, mais próxima daquilo que nos acontece: "As emoções inconscientes — isto é, as pulsões — procuram reproduzir-se, desprezando o tempo e seguindo a faculdade de alucinação própria do inconsciente. Como nos sonhos, o paciente atribui ao que resulta dessas emoções inconscientes ou despertas um caráter de atualidade e de realidade. Ele põe em ato suas paixões, sem levar em conta a situação real."

Freud não hesita em escrever que, no momento culminante da neurose de transferência, o analisando alucina e vive a relação transferencial com o mesmo sentimento de realidade que temos quando sonhamos, isto é, quando alucinamos, pois um sonho é uma alucinação.

O amor de transferência, o ódio de transferência, toda paixão de transferência pode se reduzir, na verdade, a uma modalidade da alucinação. Talvez exageremos ao dizer isso, mas é para acentuar bem esse caráter excessivo, intenso da pulsão no momento de transferência.

Como interpretar esse momento de pulsão excessiva, no momento da seqüência transferencial? Sofrida a primeira recusa, o Eu se polariza exclusivamente no falo imaginário, excluindo totalmente a presença do grande Outro. O amor é dirigido, não à autoridade do grande Outro, mas, diretamente, de modo concentrado, polarizado, a -φ, isto é, ao falo imaginário. Lacan diz: "O amor se dirige ao semblante do ser." Traduzo: o amor se dirige ao semblante do objeto, ou ainda: o amor se dirige ao véu que cobre o objeto.

Ora, é então que ele encontra uma segunda recusa e volta de novo para si mesmo, mas desta vez, volta para si mesmo até identificar-se com o falo. Torna-se o falo que lhe é recusado. O Eu se identifica ao objeto que lhe é recusado.

O analisando começou por demandas de amor, demandas para ter o falo, para pedir ao grande Outro para ter o falo. Agora, depois dessas duas recusas, ele se torna esse falo, se identifica com o falo.

Nesse momento, pode-se dizer que o Eu se constitui como sendo o falo, o objeto do desejo do grande Outro. É isso que é difícil apreender na dinâmica que estabelecemos. Uma vez que o Eu se identifica com o falo imaginário que ele pedia anteriormente ao grande Outro, agora, identificando-se com o falo, reaparece o grande Outro, não mais como autoridade, mas como um grande Outro que deseja, e do qual o Eu, identificado com o falo, vai ser o objeto. Essa seqüência transferencial de amor, de ódio ou de angústia, é interpretada pela psicanálise como sendo o produto da identificação do Eu com o falo, o Eu fazendo-se o falo do grande Outro desejante, representado pelo analista.

Nesse momento da seqüência dolorosa da transferência, o analista é vivido — isso é curioso — como alguém absolutamente diferente do paciente. É isso que é difícil apreender. O Eu se identifica com o falo e se faz o falo do Outro, do grande Outro desejante, representado pelo analista. Mas o paciente, no nível de um sentimento consciente, vive o analista como uma presença aguda, com um sentimento agudo de que ele é alguém diferente dele. É então que terei que justificar a minha hipótese da existência de uma pulsão fálica.

*
* *

Respostas às perguntas

O que o sr. quer dizer, quando substitui o termo "analista" pela palavra "furo"?
Alguns dos presentes tiveram a oportunidade, em certos momentos, de trabalhar em outros de meus seminários que fizemos, nos quais utilizei a topologia.

O "furo" é um termo instituído por Lacan, introduzido, graças à topologia, e tem diferentes conotações. Darei a que me parece mais exata.

A palavra "furo significa que o objeto da pulsão é variável, isto é, indiferente à natureza da pulsão. Por conseguinte, uma pulsão oral, por exemplo, pode se servir de qualquer objeto para obter o seu objetivo. Ela pode utilizar um polegar, um seio, um chiclete, mil objetos diferentes.

Lacan, ao invés de dizer, como Freud, que o objeto da pulsão é variável e indeterminado, diz que, efetivamente, esse lugar é um lugar vazio, para o qual qualquer coisa que represente a função de objeto para essa pulsão pode ir. Dizer que o objeto da pulsão é um furo, é o mesmo que dizer que o objeto da pulsão é uma função ou um lugar.

Percebo, ao responder, que haveria várias maneiras de abordar a questão, em particular graças à topologia.

Ouvi dizer que certos analisandos terminavam a análise identificando-se com o Eu do analista. O que acontece, na sua opinião?
Esta é a questão da identificação com o analista. Sabemos que Lacan falou muito desse problema. Muitas vezes, interpretou-se mal sua formulação. Ele nunca negou que um analisando pudesse identificar-se imaginariamente com seu analista. Não só nunca negou, mas também considerava que isso é habitual para muitos, durante um certo tempo.

Os analisandos, especialmente os que fazem tratamento há muito tempo, adquirem certos traços do analista, principalmente se esses analisandos se tornam, eles próprios, analistas. São imitações, identificações de tipo imaginário, parciais, que não são negadas. É um fato.

O que Lacan negou — e isso tem um peso teórico importante — foi conceber o fim do tratamento como sendo uma identificação com o analista. Essa é uma questão completamente diferente.

Efetivamente, certos analistas declararam que o fim do tratamento seria a identificação com o Eu do analista. Foi o caso da Escola da psicologia do Eu. Mas, retomando-se a história do pensamento analítico e, dentro dela, a concepção da psicologia do Eu, especialmente a de Hartmann ou Rappaport, vê-se que eles consideravam que o fim de um tratamento terminava pela identificação com o Eu do analista, com o Eu normal, adaptado, sadio, do analista.

Mas, antes de Hartmann e Rappaport, há toda uma série de analistas que tiveram um pensamento apaixonante, como por exemplo Sandor Rado, que nunca é mencionado.

Cito em particular Sandor Rado, porque ele está muito próximo daquilo que digo aqui nesta noite. Foi o primeiro a fazer uma abordagem econômica da transferência. Escreveu um texto em 1927, sete anos depois de *Mais além do princípio de prazer*, que se chama "A abordagem econômica do problema da transferência". Foi o primeiro a ter a idéia, que na época parecia absolutamente luminosa, de pensar que o analista ocupava diferentes instâncias psíquicas do paciente, por exemplo, que o analista ocupava o lugar do Supereu psíquico do paciente.

Depois dele, Strachey retomaria quase a mesma posição sob outra forma, para manter esse trabalho de identificação. Nesse momento, falaria de identificação do analista com o lugar de uma instância psíquica. Mas isso não é a identificação com o analista, mas as identificações do analista. Aliás, hoje não se diz: identificação do analista, mas: o analista ocupa o lugar de...

A identificação do paciente com o falo imaginário não corresponderia à identificação da criança com o falo faltoso da mãe, pondo assim o paciente em posição de regressão infantil? Como sair dessa posição?
Ao invés de dizer que a criança se identifica com o falo que falta à mãe, modifiquei os termos, dizendo que o Eu do analisando se identifica com o falo na medida em que ele lhe foi recusado e então,

ele se constitui em objeto fálico do grande Outro desejante. Como sair dessa posição? É uma pergunta que tentaremos responder na próxima vez.

Mais genericamente, desejaria refletir sobre um ponto: pensar que *a neurose de transferência é uma doença instituída por nós, que somos nós, analistas, que instituímos essa situação mórbida da qual somos o enxerto, o que quer dizer que, uma vez a situação mórbida desenvolvida, joga-se fora o enxerto.* Uma vez bem instituída essa situação, rejeita-se o enxerto e assiste-se à dissolução do trabalho desse tecido neoformado.

Porque, finalmente, pode-se considerar o problema do fim do tratamento, uma questão muito difícil que abre muitas perspectivas, como a de um corte, uma separação, de um trabalho de excisão no nível desse tecido vivo que se desenvolveu. Mas, levando-se em conta a pergunta a respeito do termo de "regressão infantil", que foi utilizado por diversos autores para falar do apego muito forte do analisando em resposta ao silêncio ou à atitude reservada do analista, afirmamos que, efetivamente, a neurose de transferência é um estado mórbido que infantiliza o paciente.

Falamos de enxerto, mas também podemos nos servir de outro termo: "núcleo", um elemento-núcleo que absorve a energia do outro, porque se trata de uma absorção. Vejam um analista depois de oito horas de consulta: ele foi absorvido. Isso não é suficientemente teorizado. É, por exemplo, a questão do trabalho com os psicóticos. É claro e muito conhecido por todos os que trabalham em hospital com pacientes psicóticos que esse trabalho provoca vontade de dormir. Há algo que acontece na transferência com os pacientes psicóticos que induz a necessidade de sono.

Quero esclarecer com isso a idéia de enxerto: não só ele suscita o investimento libidinal, mas também o analista recebe coisas desse tecido, que ele criou. Esse tecido poderia ser chamado de "placenta", porque é um dos exemplos de objeto *a*, dado justamente por Lacan. Quando Lacan diz que a transferência opera nessas vacilações, nessa contração e dilatação, abertura e fechamento das bordas orificiais, é preciso situá-la no nível matricial, e especificamente no ponto de partida, na fonte da pulsão.

Ao invés de dizer que a transferência é a atividade da pulsão que cerca o objeto e volta para o ponto de partida, diremos que as bordas palpitam. Elas se fecham e se abrem. Dizer que as bordas orificiais da zona erógena se abrem e se fecham quer dizer, exatamente, que a pulsão se desloca, vai e volta. É a mesma coisa. Isso mereceria ser explicado mais longamente, mas podem acreditar no que digo; de um certo ponto de vista, é a mesma coisa. Dizer que os orifícios palpitam e que a pulsão se desloca em torno de um objeto são duas expressões que querem dizer exatamente a mesma coisa.

Vamos agora à questão da **recusa**. Esse termo corresponde ao que Freud, no texto sobre "Os tipos de entrada na neurose", chama de frustração.

Há um problema com a tradução do termo alemão. Certos autores o traduzem por "frustração", enquanto outros, como Lacan ou Nacht, se opõem a essa tradução e consideram que o termo correto é "recusa".

A recusa é constituída, antes de tudo, por toda a situação analítica, pelo dispositivo analítico. Não é apenas a reserva, a ação do analista, não é apenas o silêncio matizado do analista, é o divã, a regra fundamental etc...

A recusa não é simplesmente o fato de que o analista esteja em silêncio, a não-resposta às demandas de amor, mas também é, no momento da segunda recusa, como se o analista dissesse: não há relação sexual possível.

A recusa é a abstinência mais extrema no caso da experiência analítica, isto é: "eu não sou objeto sexual". Eu disse, na outra vez, que a recusa começava sendo o que o analista se recusa em si mesmo. Só há recusa a partir daquilo que ele se recusa em si mesmo. Isso não corresponde a uma interdição. É recusar-se a si mesmo, porque isso volta para si, e essa volta para si é pensar o campo da experiência analítica como um campo sexual, como um campo pulsional.

Se o analista percebe a experiência da transferência como uma experiência pulsional, se faz uma abordagem econômica da transferência, como diria Rado, tem chances de encontrar essa recusa em si, a qual lhe permitirá adotar uma posição apropriada à experiência do tratamento.

*
* *

IV
A seqüência dolorosa da transferência

A estrutura simbólica da relação analítica está presente implicitamente ao longo do tratamento, mas só se atualiza em certas ocasiões e através de certas formações psíquicas chamadas "formações psíquicas do inconsciente".

O analisando que erra o endereço ao ir à sessão ou o analista que esquece a hora do paciente são exemplos freqüentes, quase banais, que manifestam os deslocamentos inconscientes de significantes recalcados. Significantes recalcados em um ou outro dos parceiros analíticos.

A propósito dessas transferências simbólicas, já me expliquei longamente em um dos capítulos de meu livro *Os olhos de Laura*.

Além disso, existe outra transferência, que tentaremos elucidar agora e que nos ocupa há três seminários, que corresponde à ultrapassagem de um limiar no meio do tratamento. Um limiar geralmente único, embora possa, em certas ocasiões e para certos pacientes, reproduzir-se duas ou três vezes em uma análise. Durante esse momento, limite, esse limiar, durante essa transferência momentânea, o mundo do paciente se concentra inteira e unicamente no analista. A transferência assume então uma tal intensidade afetiva que é correto deduzir que, nessa fase, o objeto da pulsão ou, se quisermos, o objeto *a*, ou ainda o acréscimo de Gozo, o excedente de energia, aflora nesse momento quase a nu, no seio da relação analítica.

A transferência fantasística

Essa transferência, esse momento transferencial, esse limiar, essa etapa particular, bem diferente da transferência simbólica, é o que chamamos de "seqüência dolorosa transferencial" ou "neurose de transferência", que podemos pôr sob a rubrica "formação do objeto *a*". Essa transferência, atualizada através da neurose de transferência, esse momento doloroso, essa formação do objeto *a*, não será chamada de "transferência imaginária", já que isso não existe. Também não a chamaremos, segundo a tríade lacaniana, de "transferência real", pois não é uma transferência real. Chamaremos essa transferência de "transferência fantasística".

Entre a transferência simbólica atualizada pelas diferentes formações psíquicas do inconsciente e a transferência fantasística atualizada exclusivamente por essa única formação do objeto, que é a seqüência dolorosa transferencial, entre essas duas espécies de transferência, dou prioridade absoluta à última. Por que? Por três razões: Primeiro, porque essa transferência fantasística que se expressa nesse momento de dor revela o verdadeiro móbil da relação analista-paciente. Habitualmente, diz-se que o móbil da relação analítica é a fala. Isso não é verdade. Não é a fala. O verdadeiro móbil da relação analítica é a pulsão que centraliza, polariza a relação analista-paciente. A fala está presente como o efeito e, ao mesmo tempo, como vindo determinar o campo dessa relação. **Mas o móbil é o objeto da pulsão**.

Segunda razão: dou prioridade à transferência fantasística e a essa seqüência que a atualiza, porque ela faz o analista compreender, principalmente o analista iniciante, que o seu papel principal em uma análise não é o de escutar ou interpretar, mas o de prestar-se, emprestar seu próprio corpo pulsional. Lacan diria "emprestar a sua pessoa". Prestar-se à atividade da lamela libidinal de que falamos na última vez. Se o analista compreende que está ali, na sua poltrona, para deixar-se tomar, deixar-se cercar, pegar, pela atividade pulsional, terá todas as chances de interpretar ou intervir de modo oportuno.

Terceira razão, que me faz dar prioridade absoluta à transferência fantasística, é que o resultado desse momento transferencial doloroso, a maneira de atravessar esse limiar no meio do tratamento, também decidirá o próprio resultado da análise. Freud escreveu isso com todas as letras. Ele disse: "Ultrapassar essa nova neurose artificial — isto é, a neurose de transferência — é suprimir a doença gerada pelo tratamento." Esses dois resultados, isto é, a doença pela qual o paciente veio, e o fato de que ele faça a sua análise, esses dois resultados caminham lado a lado e, quando são obtidos, nossa tarefa terapêutica está terminada.

Freud expressa — e não poderia fazê-lo de maneira mais clara e categórica — o fato de que o fim do tratamento, o seu sucesso, depende da possibilidade de resolver a neurose de transferência. Se, por ocasião da travessia desse limiar, o tratamento se interrompe, diremos que o analisando e o analista se chocaram, tropeçaram num obstáculo que se chama, de modo célebre e bem conhecido, "o rochedo da castração".

Se, pelo contrário, a relação analítica não atinge, não atingiu o nível desse momento de prova, desse momento-limiar, desse momento-limite, diremos que a análise não progride.

Enfim, se o obstáculo é superado, se o limiar é atravessado e a análise continua até a sua fase terminal, diremos então que um acting-out, o paradigma dos acting-out, foi resolvido. Ou, para falar em termos que estão na moda e que, na minha opinião, não são exatamente adequados, diremos, se o obstáculo foi superado, que houve travessia da fantasia.

Quer seja um limite que se evite atingir — o caso no qual a análise não progride, o rochedo da castração — quer seja um limite que se atravesse com sucesso — e que constitui um acting-out — *a seqüência dolorosa da transferência* continua sendo, em minha opinião e indubitavelmente, a experiência mais decisiva de um tratamento de análise. É a experiência mais importante, que exige do prático um conhecimento e um manejo técnico muito precisos, a que exige mais tato.

O manejo da transferência

Detenho-me aqui para fazer correções. Primeiro, eu disse que é a experiência mais importante e que exige mais tato e conhecimento. Temos aí uma citação de Freud, que alguém me lembrou, por ocasião de uma supervisão, e essa observação é absolutamente pertinente. Parece-me que, entre todos os textos freudianos, essa pessoa leu as "Observações sobre o amor de transferência". Eu as reli e, efetivamente, concordo; o primeiro parágrafo é o mais importante de todo o texto.

Ele diz: "Certamente, todo psicanalista iniciante começa temendo as dificuldades que lhe oferecem a interpretação das associações do paciente e a necessidade de encontrar os materiais recalcados."

É verdade; ouço isso muitas vezes nas supervisões. A preocupação dos analistas é indagar: "Quando se deve pedir ao paciente para deitar-se? Como se detecta a fantasia? Em que momento se deve parar a sessão? Estou fazendo certo? Como lhe parece esse tipo de abordagem? Qual é o fio condutor pelo qual devo orientar a minha escuta?" Todas essas são interrogações fundadas. São dificuldades que, na maioria das vezes, polarizam o analista.

Eis o que diz Freud: "Todo psicanalista iniciante começa temendo as dificuldades que lhe oferecem a interpretação das associações do paciente e a necessidade de encontrar os materiais recalcados." E acrescenta: "Mas ele logo aprende a atribuir menos importância a essas dificuldades e a convencer-se de que os únicos obstáculos verdadeiramente sérios se encontram no manejo da transferência."

Temos outra citação que vai no mesmo sentido. É de um psicanalista inglês, a quem já me referi, Glover. Esse autor incluiu dois longos capítulos sobre a neurose de transferência na sua obra clássica sobre a técnica. É ainda mais forte do que Freud. Ele diz: "Não nos arriscamos a nos enganar afirmando que, em nenhum estádio da análise, as reações do analista ou suas convicções quanto aos postulados fundamentais da psicanálise são submetidas a prova mais dura do que durante esse estádio da neurose de transferência. Durante esse estádio, quando o terreno conflitual do paciente se desloca das situações externas ou de inadaptações internas de natureza sintomática para a própria situação analítica." Glover diz exatamente a mesma coisa que Freud, com outras palavras.

Outros autores também o disseram. Li recentemente uma tradução, feita por um colega belga, de um livro de Ella Sharpe, que fez quatro conferências sobre a técnica analítica. A conferência dedicada à transferência começa do mesmo modo: Ela diz: "O problema principal não é: como agir?, mas: onde estamos quando há transferência?", quando há neurose de transferência, quando há *momento transferencial doloroso*?

Digo que é a experiência mais importante do tratamento e que exige do clínico um conhecimento e um manejo técnico preciso. Acabo de citar essa frase e, ao mesmo tempo, vou tentar abordá-la, tomá-la o mais seriamente possível, dissecá-la, decompô-la neste momento, mesmo que não se lembrem de todos os detalhes. O importante é situar esse momento, aprendê-lo e verificar se ele se encontra na prática de cada um de nós.

Há uma frase de Lacan que diz bem que, no nível ético, só uma coisa predomina, é que "o analista deve saber ignorar o que sabe". Já dissemos isso no nosso primeiro seminário de outra maneira. Dissemos o seguinte: sejamos estudiosos, sérios, precisos, estudemos bem a técnica, leiamos como se fôssemos apaixonados pela técnica, sejamos técnicos apaixonados e, ao mesmo tempo, esqueçamos isso completamente, sabendo que não é ali que vai operar, verdadeiramente, a relação analítica. É preciso ser muito claro a respeito da técnica e saber ao mesmo tempo que não é na técnica, não é no manejo técnico, que vai decidir-se a resolução dos diferentes momentos do tratamento analítico.

O sr. evocava no início de seu seminário a capacidade de analisabilidade. Mas quais são os critérios de referência da analisabilidade? Voltemos ao nosso fio condutor. Vejam a importância que dou a esse momento transferencial doloroso, a essa neurose de transferência. Podem compreender agora por que começamos o nosso seminário com os critérios de analisabilidade. Podem haver vários deles. Alguns deles, nós os aplicamos desde o início, por ocasião das entrevistas preliminares. Mais freqüentemente do que pensamos, sabemos que este ou aquele paciente fará um tratamento clássico. Se é um paciente que, pelo contrário, apresenta sintomas psicóticos ou delirantes, pensaremos, como já observamos aqui, que é preciso ser prudente, que é preciso estabelecer um plano terapêutico prévio. Esses critérios não são verdadeiramente critérios de analisabilidade. O único critério de analisabilidade só pode ser reconhecido a posteriori. Evidentemente, só saberei se alguém foi analisável ou não a posteriori, depois que ele atravessou a experiência da análise.

Quem é capaz de ser analisado? Só se poderá responder depois de terminar a análise desse paciente ou depois de ter atravessado esse momento de transferência dolorosa. O único verdadeiro critério, que só pode ser verificado posteriormente, depois da experiência da travessia desse limiar, consiste na capacidade do analisando de confrontar-se com ele. Diremos então que é analisável todo indivíduo que pode sofrer com a sua pulsão posta em ato, quando da prova dolorosa da transferência.

Os sinais indicadores da passagem da seqüência dolorosa da transferência

Como se apresenta clinicamente esse momento transferencial? Qual é a sua estrutura e em que condições ele se instala? Já respondemos parcialmente, no nosso último seminário, decompondo passo a passo a dinâmica das demandas e recusas entre analisando e analista. Vamos retomá-la e vamos verificar a hipótese que não pude justificar na última vez, e que era que, do ponto de vista econômico, isto é, do ponto de vista pulsional, a seqüência neurótica de transferência constitui um destino específico de uma pulsão particular que chamo de "pulsão fálica".

Disse, no nosso último encontro, que eu estava acrescentando uma nova pulsão às diferentes pulsões parciais já conhecidas, mas parecia-me que o trabalho que eu fizera sobre a alucinação na neurose de transferência me conduziu naturalmente a conceber a presença, a existência de uma pulsão fálica particular, cujo destino não é a sublimação, mas justamente a neurose de transferência.

*

Mas anteriormente, antes de abordar essa questão, antes de entrar no seu centro, vamos descrever rapidamente a clínica da neurose de transferência. Esse momento transferencial doloroso, essa seqüência de transferência que aparece no meio do tratamento, em geral, comporta **todos os traços manifestos do acting-out**.

Na maioria dos casos, esse fenômeno se manifesta primeiro por uma mudança quase imperceptível na atmosfera da análise. Até então, o primeiro entusiasmo dos dois parceiros da relação analítica deveu-se à diminuição ou até ao desaparecimento dos distúrbios sintomáticos iniciais que levaram o paciente à consulta. Prestem atenção a esse entusiasmo, pois ele se verifica muito freqüentemente. A diminuição dos sintomas nos torna entusiastas, nos estimula a continuar. O próprio paciente fica surpreso com os efeitos do trabalho que já fez. Pois bem, esse entusiasmo começa a declinar nesse momento. Os conteúdos das associações do analisando, referindo-se até então à sua vida atual e passada, dão lugar pouco a pouco a referências mais imediatas: à própria situação analítica, à relação com o analista e até aos detalhes do consultório analítico. É como se o paciente, subitamente, percebesse onde ele está. Pouco a pouco, tudo o que acontece só tem interesse e realidade na medida em que isso pode ser referido ao analista. Tudo é então centralizado em torno da sua pessoa. O analista ocupa o universo inteiro do analisando. Ele é esse universo. Instala-se então, progressivamente, um clima de tensão aguda, tenaz, e ao mesmo tempo, precária. Uma tensão que revela o caráter passional que a relação analítica assume.

Quais são os sinais típicos que nos permitem qualificar esse momento transferencial de "acting-out"? Há quatro sinais típicos: o silêncio, a mostração, a petrificação e a angústia.

O silêncio se manifesta por uma parada das associações. O analisando se cala mais freqüentemente do que antes e diz que não sabe de que falar. São as sessões nas quais o analisando começa dizendo: "Não tenho nada a dizer. Não sei. Tenho a impressão de que tudo já foi dito."

A mostração se reconhece pela encenação de ligeiros conflitos com o analista, conflitos que se iniciam, em geral, com interpelações por parte do analisando, exigindo que o analista fale. E, em certos momentos mais agudos, instigando-o a falar: "É você que tem que me dizer, mas você não diz nada! O que é que você pensa? Faz muito tempo que você não fala." etc.

A petrificação e a angústia designam principalmente um traço de estrutura. Mas também designam um aspecto observável. O analisando, e muitas vezes o analista, têm a sensação de estarem pregados, imobilizados, paralisados no lugar. Acontece-me, por exemplo, ouvir analistas em supervisão declararem, ao falar desses momentos transferenciais: "Não sei mais o que fazer. Tenho a impressão de que, se me movimento na poltrona ou se respiro de maneira audível, o paciente se angustia." O analista fica, assim, imóvel na sua poltrona, sem mexer-se, para não suscitar a angústia do paciente.

Tudo isso são traços clínicos que servem para detectar esse momento transferencial doloroso.

Mas como explicar teoricamente a dinâmica da instalação da neurose de transferência? Vamos agora ao nosso esquema da última vez, que construímos segundo dois movimentos circulares. Falamos do nível matricial e do nível da significação.

No nível matricial, desenhamos o deslocamento da pulsão e situamos o objeto da pulsão.

No nível da significação, observamos que o objeto da pulsão estava recoberto pelo véu que situamos como sendo o falo imaginário. Isso, do ponto de vista clínico, se manifesta pelo silêncio-em-si, o "calar-se" interno do analista. Dissemos que esse silêncio, esse véu que recobre o objeto, é a melhor maneira de representar, de evocar o furo do objeto da pulsão. Esse silêncio tem dois efeitos: um efeito sobre o analisando e um efeito sobre o lugar do analista, de instituir, por acréscimo, o lugar, a instância do grande Outro interlocutor. É na medida em que o analista faz silêncio-em-si que, sem procurar por isso, ele institui a instância de um grande Outro, de um grande Outro interlocutor, ao qual o analisando vai dirigir as suas demandas. Não voltarei a esse ponto.

Temos pois dois efeitos: um primeiro efeito, que é a instituição de um grande Outro interlocutor. Dizemos grande Outro interlocutor; também podemos chamá-lo, na teoria lacaniana, instância do "Sujeito Suposto Saber". Parece-me muito importante ressaltar que essa instância do grande Outro, o "Sujeito Suposto Saber", não é o lugar que o analista ocupa. Não é que o analista ocupe o lugar da autoridade. O analista trabalha primeiro com o objeto, com a reserva em si mesmo; ele tem que pôr-se em reserva. E é na medida em que ele vai se confrontar com essa reserva em si mesmo, que vai suscitar, sem procurar, fora dele, sem saber, essa instância do grande Outro interlocutor. E já sublinhamos o fato de que essa reserva suscita, cria demandas diversas de amor e de reconhecimento no analisando. Demandas que — enfatizo — se dirigem então ao grande Outro interlocutor. São demandas de amor, mas não é o amor. São demandas de reconhecimento.

É nesse nível, no nível das demandas de amor, dessas demandas de reconhecimento dirigidas ao Outro, que podemos situar, justamente, o plano da sugestão. É ali que vai situar-se a transferência em geral, a transferência imaginária. Como eu já disse, distinguimos duas transferências:
• a transferência simbólica como uma estrutura da relação;
• a transferência fantasística como momento-limiar no meio da relação analítica, no meio do tratamento.

Nesse ponto, introduzo uma terceira forma de transferência. Não quis falar no início para não provocar divisão, mas é justamente nessas demandas de amor dirigidas ao grande Outro que vai situar-se o nível da transferência imaginária ou o nível da sugestão.

Não desenvolveremos mais essa questão da sugestão ou da transferência imaginária, porque não é o tema desta noite. Apesar de tudo, somos obrigados a dizer que é para lá que vão se dirigir as demandas ao grande Outro. Mas a recusa, isto é, o silêncio, continua a se manifestar e faz com que haja um retorno para o analisando.

Primeira recusa, pois, é o silêncio do analista, que suscita as demandas do analisando, demandas dirigidas ao grande Outro. Recusas e retorno para si. É então, por ocasião da primeira recusa, que vai abrir-se, que vai começar *a seqüência dolorosa da transferência*, isto é, que essa primeira recusa vai constituir o fator desencadeante da entrada do analisando na neurose de transferência.

O que esperam essas demandas de reconhecimento dirigidas ao grande Outro? São demandas do falo. O analisando demanda que lhe dêem, que o reconheçam. Mas pedir para ser reconhecido é pedir ao Outro que lhe dê o seu poder, aquele que o analisando lhe atribui. É demandar o falo imaginário.

Compreenda-se bem que, quando dizemos "primeira recusa", não se trata de uma única recusa, de uma única vez. Esse silêncio é toda uma posição do analista. Tivemos ocasião de dizer que o silêncio do analista não é um silêncio sistemático, que não é somente um silêncio verbal. Não é simplesmente não dizer nada com a boca; o silêncio também pode operar falando. Esse silêncio faz sentir a dimensão de reserva do véu que cobre o objeto da pulsão. É aí que começa a abrir-se a *seqüência dolorosa da transferência*, pois o analisando, nesse momento, começa a deixar de referir-se a si mesmo, para ser progressivamente levado pela paixão, por um afeto excessivo. Nesse momento, ele já não se dirige mais ao grande Outro: dirige-se ao analista, ele mesmo transformado em falo.

Vamos resumir: ele se dirige primeiramente ao grande Outro, o interlocutor; demanda de reconhecimento; recusa. A recusa faz com que o analisando dirija novamente demandas, mas estas não são mais de reconhecimento. Esses momentos são momentos de silêncio. São momentos de inquietação e de angústia. São momentos nos quais ele diz: "É a sua vez de falar." São momentos em que ele exige e interpela o analista. Não são mais demandas. E há uma nova recusa.

Identificação do Eu do analisando com o falo imaginário

Como dissemos na última vez, chamei-a de **"segunda recusa"**. E é com essa segunda recusa que o analisando, o Eu do analisando, por assim dizer, se identifica com o falo imaginário. Ele demanda o falo. Ao demandá-lo, não recebê-lo e não obter nada além de uma recusa, ele se desaponta e se identifica com o falo. Ele demandava o falo, e agora, depois da recusa, da dupla recusa, ele é o falo. Ele se torna então o falo que lhe é recusado. O Eu se identifica com a coisa que lhe recusam. E acontece isto: ele se faz falo imaginário e ao mesmo tempo se faz falo imaginário do grande Outro, não mais como um interlocutor Sujeito-Suposto-Saber, mas do grande Outro como Sujeito-Suposto-Desejo. Ele se faz o falo imaginário que pretende satisfazer o suposto-desejo do analista. Faz-se o falo imaginário que pretende satisfazer o suposto-desejo do grande Outro ou do analista.

Como teorizar essa identificação do Eu do analisando com o falo imaginário? Aí está o elemento primordial do ponto de vista metapsicológico que explica a instalação da neurose de transferência. Metapsicologicamente, no momento da neurose de transferência, o analisando está identificado com o falo imaginário que pretende saciar o desejo, o suposto-desejo do analista.

Como conceber essa identificação? Podemos concebê-la segundo diferentes níveis. No nível da própria relação analítica, estabelece-se uma passagem singular, que a expressão lacaniana "histerização do discurso analítico" define muito bem. Lacan dizia "histericização do discurso analítico", porque considerava que em toda análise há um fenômeno de histericização, em que é favorecida a histeria. Essa expressão é bastante utilizada hoje, mas nem sempre adequadamente, em minha opinião.

Falicização do ser no analisando

A identificação do Eu do analisando com o falo imaginário implica uma passagem do analista para o analisando, da máscara da falta no analista para a máscara do ser no analisando. A máscara da falta no analista é o véu, falo imaginário que recobre o furo da pulsão. Ao invés de dizer "véu que recobre o furo da pulsão", digo "máscara que cobre a falta no nível do analista".

Analisando   Analista

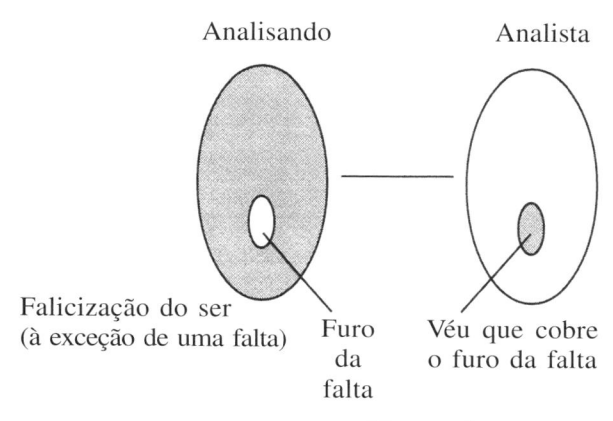

Falicização do ser
(à exceção de uma falta)   Furo   Véu que cobre
                           da   o furo da falta
                           falta

Figura 3

A máscara que cobre a falta corresponde a essa reserva interna difícil de definir por parte do analista e, ao mesmo tempo, existe uma disponibilidade. O analista está nesse lugar de véu, que mascara a falta e, ao mesmo tempo, está dissociado. Isso significa que existe uma barra sobre o analista. Ele está em reserva, cala-se em si, fica dissociado nele mesmo. Pois bem, esse véu, essa máscara da falta se desloca para o Eu do analisando. É como se o analisando dissesse: "já que você não me dá o falo, eu o pego!". E o que ele pega, na verdade, é essa mesma máscara, esse véu. Mas há uma diferença: no analista, o véu cobre apenas a falta, ao passo que, quando este volta para o Eu do analisando, cobre todo o seu ser. Aqui, o analista não é um falo imaginário, não é um ser identificado com o falo imaginário. Há essa reserva que evoca o furo da pulsão, mas o seu ser não é inteiramente falicizado, enquanto que, por ocasião do processo de identificação na neurose de transferência, o analisando identifica todo o seu ser com o falo, com a máscara fálica imaginária que cobria a falta, no analista.

Temos pois uma passagem da máscara do analista para o analisando. A máscara do analista cobre a falta, o resto do analista é a parte dissociada. Depois da dupla recusa, depois da passagem, a máscara recobre todo o Eu, exceto um furo. Em outros termos, na neurose de transferência, produz-se, no analisando, uma falicização do ser. Mas falicização do ser quer dizer: ser totalmente falo, ser falo em todo lugar. Quando um analisando diz: "Por que você não me diz nada?", ou quando sai batendo a porta, ou qualquer outra manifestação típica desses momentos de paixão, ele está, nesse momento, inteiramente identificado com o falo, exceto uma falta, exceto um furo. Essa falicização é exatamente o mesmo fenômeno que se produz na histeria. É por isso que podemos falar de uma histericização do discurso analítico. A histericização do discurso analítico é o momento no qual se instaura a neurose de transferência.

Essa identificação com o véu fálico, com o véu imaginário, essa falicização do Eu do analisando comporta um Gozo, um Gozo fálico. O Gozo fálico, para Lacan, se entende como Gozo de identificar-se com o falo imaginário, com todo o seu ser, exceto uma falta. Em outros termos, o que é silêncio e reserva no analista se torna angústia, dor e paixão no analisando.

O analista representa o indizível da dor e está dissociado

Habitualmente, diz-se que o analista está no lugar do objeto. Em geral, eu diria, antes, que o analista nunca está no lugar do objeto. No máximo, o analista encarna, representa um semblante, um véu, uma máscara daquilo que seria o objeto da pulsão, isto é, a insatisfação. Essa é a função do analista, evocar ao paciente, pelo seu silêncio, a representação da dor, como se ele lhe dissesse: "Eu represento o indizível da dor." Ele lhe diz isso, não ao se calar; ele pode falar. Mas pode falar e, sem que eu saiba exatamente como, no tom da sua voz, na maneira de expressar-se, na maneira de abordar o analisando, ele deixa persistir, deixa perceber que continua a representar o indizível da voz, o indizível da dor.

Aliás, se o analisando, uma vez terminada a análise, vai embora e — vamos imaginar uma situação habitual — alguém lhe pergunta: "Você foi inteiramente analisado?", ele responde: "Não". Ser inteiramente analisado? Isso não existe. Sempre há uma parte não-analisável.

Pois bem, a parte inanalisável em uma análise é, justamente, o lugar do analista. Mas o analista não está no lugar do objeto. Ele encarna, evoca, representa o objeto por uma série de atitudes, disposições, presenças difíceis de adquirir, de reconhecer em si, difíceis de habitar, de ser habitado por elas e que evocam o indizível da dor.

Hoje, isso é chamado assim, o que me parece mais exato: o indizível da dor. Mas, ao mesmo tempo, simultaneamente, o analista não está inteiramente nessa representação da dor. Não está inteiramente reduzido a isso. Continua a saber, até a reconhecer, em certos momentos, que, no lugar que ocupa, está efetivamente separado, dividido, dissociado. Essa dissociação é muito importante no próprio nível da ética do segredo profissional.

Algumas vezes, acontece que, em certo momento da evolução do analista, ele tem que ouvir pacientes que são, eles próprios, analistas e que lhe falam de coisas referentes a uma comunidade analítica, da qual analista e analisando fazem parte. E, por vezes, o analisando deseja dizer algo ao analista para informá-lo, para que ele saiba.

Na verdade, o analisando não sabe que o analista escuta e esquece, que ele está dissociado. Quero dizer que ele pode, em uma sessão, ouvir referências quanto a fenômenos que ocorreram em certas circunstâncias, com detalhes referentes à comunidade analítica e, ao mesmo tempo, não se lembrar mais, como se não soubesse disso. Não sei se alguém aqui já teve essa experiência. Eu a tenho muitas vezes. Uma vez, disse isso a um colega que me interrogava sobre essa questão. Respondi-lhe que, se eu tivesse que me lembrar de tudo o que me relatam, e se além disso, tivesse que analisar todos os fenômenos de conteúdo referidos à comunidade na qual vivemos, esse trabalho seria impossível. Eu próprio ficaria, como muitos outros analistas, completamente sem rumo. É impossível e isso se deve, justamente, à dissociação.

Aliás, lembro-me de que o próprio Lacan disse isso várias vezes. Imaginem Lacan e todas as pessoas que passaram pelo seu divã. Não foram "alguns da comunidade analítica", foi a metade da comunidade analítica lacaniana que passou pelo seu divã. Já imaginaram tudo o que Lacan "sabia"? E, no entanto, ele continuava o seu trabalho como se não soubesse. Não é porque ele fazia como se não soubesse, mas porque, verdadeiramente, ele tinha uma parte de si que sabia e uma outra parte que não sabia. Quero dizer que a incidência da dissociação não atinge apenas o nível da evolução de um tratamento, mas também o nível de uma ética, presente na comunidade que habitamos, nós analistas.

Em que momento do tratamento aparece a neurose de transferência? Um ano, dois?
Para responder à sua pergunta quanto à temporalidade, diria que, efetivamente, a neurose de transferência, em média, se apresenta ao fim de dois anos de análise. Não se apresenta no primeiro ano.

No primeiro seminário, eu disse que a neurose de transferência já estava instalada desde as primeiras entrevistas. É verdade. Mas a maneira de manifestar-se não tem a intensidade passional desse momento. Esse momento, na maioria dos casos, na minha experiência — talvez outros analistas tenham outra — começa a se manifestar entre o segundo e terceiro anos de análise. Não excluo que alguém diga que teve essa experiência a partir de alguns meses. Reconheço que isso também me aconteceu, mas parece-me que se pode dizer que essa fase de dois anos é a média, no seio das quatro etapas que designamos: entrevistas preliminares com a retificação subjetiva; etapa do início da análise; seqüência dolorosa da transferência, que estamos trabalhando agora; fase terminal. É um modo de situar cada fase em relação ao conjunto do tratamento e o tempo que este dura. Tudo está ali. É a dificuldade principal. O tempo que o tratamento dura depende do resultado. Já disse que há três resultados possíveis: o desfecho pelo qual a questão se cronifica e prossegue durante meses e até mais; as vezes em que isso é evitado, em que o limiar não aparece, ou não é tão nítido quanto Freud descreve; as vezes em que há ruptura de análise, isto é, o rochedo da castração.

Conforme os desfechos, teremos uma duração diferente. Em princípio, desde a abertura, há as demandas dirigidas ao grande Outro, demandas de reconhecimento, demandas do falo imaginário, primeira recusa: é então que o analisando começa a entrar na etapa em que não faz mais demandas de reconhecimento, mas começa a exigir o amor, sem rodeios, a amar, a manifestar o seu amor pelo analista. E isso se dirige diretamente para a máscara da falta. Então, há a segunda recusa, e instala-se então plenamente a identificação do analisando com o falo imaginário. Esse movimento, que descrevo esquematicamente em teoria, é claro na prática. Dura meses. São flutuações, isto é, há sessões que são muito agudas e, segundo a maneira pela qual o analista intervém, segundo a maneira de responder a essa paixão tenaz, a essa paixão ao mesmo tempo obstinada e difícil de desenraizar, isso vai produzir flutuações, momentos altos e baixos. É muito difícil precisar a sua temporalidade cronológica.

Vamos retomar. Podemos ver essa identificação do Eu enquanto falo imaginário em diferentes níveis. Há um nível de *transferência*, um nível *libidinal e um nível pulsional*. **Primeiro nível**: o da **transferência**. Nele, reconhecemos a histericização do discurso. Podemos dar a esse conceito de histericização de Lacan um outro sentido. Aquele que dei aqui me parece o mais correto, isto é, o da falicização do Eu. **Nível libidinal**, o do Eu. Freud diz: "O Eu procura atrair para si essa libido orientada para os objetos e impor-se ao Isso como objeto de amor." É assim que o narcisismo do Eu, é "um narcisismo secundário retirado dos objetos". Isto é uma citação dos *Ensaios de psicanálise*. Quer dizer que o Eu se apodera da libido dos investimentos de objetos e se impõe como único objeto de amor do Eu. Estamos falando em termos de amor, de narcisismo e de libido, para descrever esse fenômeno que chamamos "falicização".

Quando dizemos: no nível da transferência, no nível libidinal, no nível pulsional, são diferentes maneiras de abordar o mesmo fenômeno, mas cada vez que o abordamos de modo diferente também encontramos diversas perspectivas.

Em resumo, nesse nível libidinal, essa identificação do Eu com o falo imaginário se chama simplesmente "narcisismo secundário". Mas este não consiste apenas em amar-se a si mesmo. O Eu se ama a si mesmo como ama o falo imaginário do grande Outro. Em outros termos, o Eu se ama a si mesmo como ama o sexo. O narcisismo não é amar-se a si mesmo. É amar-se a si mesmo como se ama o sexo do Outro. O Eu se toma pelo sexo do grande Outro e é ali que ele se ama. É isso o narcisismo secundário e é um fenômeno que podemos descrever perfeitamente no nível da neurose de transferência.

Temos pois duas abordagens perfeitamente compatíveis na neurose de transferência: a identificação do Eu com o falo imaginário é uma histericização e é um narcisismo secundário.

No nível pulsional: "O Eu — acrescenta Freud — quer também ser objeto de amor do Isso, ou seja, ele quer ser o objeto do reino das pulsões." Tenho aqui uma belíssima citação de Freud, em que ele compara o Eu com o analista. Freud diz: "O *Eu* se comporta verdadeiramente como o *médico* num tratamento analítico, recomendando-se a si mesmo ao **Isso** como objeto de libido e tentando derivar para si a sua libido", isto é, a libido do **Isso**.

O Eu se faz objeto da pulsão

Em outros termos, o Eu não só se identifica com o falo imaginário, mas também quer ser o objeto de toda a libido pulsional que, nesse momento, está em jogo na relação analítica. Freud o compara, exatamente como já fizemos, com o lugar do analista enquanto véu, enquanto máscara da falta. Quer dizer que, do ponto de vista das relações transferenciais, teremos: histericização e passagem da máscara da falta para a máscara do ser. Do ponto de vista libidinal: é o narcisismo secundário. Do ponto de vista pulsional: o Eu se identifica com o falo imaginário e se faz objeto da pulsão.

Há aqui um retorno para a própria pessoa e uma inversão do objetivo ativo em passivo. Essas duas coisas são dois destinos que explicam ou fazem compreender a identificação do Eu com o falo imaginário. Logo, o Eu se faz objeto da pulsão. De que pulsão? De uma pulsão que podemos qualificar de pulsão fálica, precisamente porque o objeto dela é o falo imaginário.

Vamos ficar no nível da pulsão. Dizer que o Eu identificado com o falo imaginário se faz objeto da pulsão equivale a afirmar três coisas: inicialmente, essa identificação narcísica do Eu com a imagem do falo é o derradeiro recurso do Eu para atingir dois objetivos: por um lado, manter a atividade da pulsão e, por outro lado, evitar o transbordamento, a aniquilação, isto é, evitar a loucura de um Gozo desmedido.

Quando um paciente é tomado, levado por essa paixão da neurose de transferência, há uma identificação narcísica; o analisando se identifica com o falo imaginário. Mas há dois objetivos fundamentais, dois recursos: um recurso para evitar tornar-se louco e um recurso para manter a pulsão.

É como se ele dissesse: "Já que você não quer ser o objeto do meu amor, muito bem, é preciso que eu me mantenha a mim mesmo com todo o meu ser." Com efeito, o objeto da pulsão fálica é o Eu que se dá todo inteiro como alimento à pulsão, para mantê-la viva e ardente como brasas e, ao mesmo tempo, evitar o pior. Como se o Eu se masturbasse não com o pênis ou o clitóris, mas com todo o seu ser.

A falicização é isso. Dizer que o Eu é objeto da pulsão fálica equivale a dizer que a pulsão goza do ser. Mas isso não está bem formulado. Ela não goza do ser. Ela goza de algo mais preciso.

Afirmamos pois três coisas: primeiro, o Eu procura manter a atividade da pulsão e evitar o transbordamento. Eis uma citação de Freud, nos "Ensaios de psicanálise", que é exatamente a definição do Gozo do grande Outro: "O que o Eu teme do perigo externo ou do perigo libidinal do Isso, não saberíamos precisar." Ele diz: "Não sabemos. Em contrapartida, sabemos que é o transbordamento, a aniquilação, mas não podemos concebê-lo analiticamente." Em outros termos, Freud está consciente de que o Eu teme o transbordamento, teme o Gozo transbordante, desmedido, do Isso. Logo, quer manter a atividade da pulsão com um Gozo parcial e evitar o Gozo louco, desmedido.

Em seguida, vamos fazer esta pergunta: qual é o Gozo dessa singular masturbação do Eu? Com que Gozo parcial se contenta a pulsão fálica? A pulsão oral se contenta com o Gozo parcial de sugar. A pulsão anal se contenta com o Gozo parcial de fechar e abrir o orifício anal, de reter e expulsar. A pulsão escópica se contenta com o Gozo parcial da vista, o Gozo do olhar, que significa abrir e fechar as pálpebras. A pulsão invocante está ligada também ao Gozo parcial, à abertura e ao fechamento da glote. E qual é o Gozo parcial com o qual se contenta a pulsão fálica? É o Gozo parcial de tudo isso: das pulsões oral, anal, escópica, invocante, de todo esse conjunto e muito mais. O Gozo parcial da pulsão fálica é o Gozo não do ser, mas de fazer semblante de ser. Não é gozar do ser, mas gozar de exibir o ser, de ostentar ser, "adornar-se de ser".*

Em suma, gozar de mostrar-se forte, de mostrar-se inteiro, de mostrar-se fálico. É isso o que, como Lacan, chamamos de Gozo fálico. O que é o Gozo fálico? É o fato de investir todo o meu ser, de falicizar todo o meu ser, com a exceção de um furo. Mas o que quer dizer falicizar todo o meu ser? Quer dizer: fazer com que me vejam, mostrar-me, exibir-me, ostentar-me, ser no semblante de ser, brincar de ser. É a menina de cinco anos que brinca de ser menino, que brinca de ser uma senhora. Mas não é nem mulher nem homem. Ela brinca de ser. E é na brincadeira que reside o Gozo parcial dessa pulsão que chamo de fálica. A pulsão fálica é o momento em que o objeto identificado com o falo imaginário é o próprio lugar em que ela se concentra, em que todas as outras pulsões se reúnem como num feixe, em torno desse Eu identificado com o falo.

A transferência é uma fantasia

A última observação é que a identificação narcísica do Eu não é apenas o narcisismo secundário, a histericização, o objeto da pulsão;

---

* Lacan faz um jogo de palavras com os verbos *parader* (= ostentar) e *parer* (= adornar). (N.T.)

é também uma fantasia. A neurose de transferência responde exatamente à estrutura da fantasia compreendida como encenação da pulsão, isto é, encenação do desejo. *A neurose de transferência é a fantasia, a encenação da pulsão fálica.*
Afirmar tudo isso nos dá o sentimento de enumerar diferentes abordagens como num catálogo. É como se, diante da neurose de transferência, nós a abordássemos a partir de diferentes perspectivas, diferentes terminologias, isto é, a perspectiva libidinal, narcísica, pulsional, a perspectiva da fantasia, a perspectiva da histericização. Mas sempre encontramos o elemento essencial, que é a identificação do analisando com esse falo imaginário, que pretende satisfazer a falta do suposto-desejo do grande Outro.

*

Resta a questão do manejo técnico desses momentos transferenciais. A leitura que fizemos do texto de Glover já nos dá uma idéia. Ele diz: "Quando se produz a neurose de transferência, sentimos subitamente que o solo falta sob nossos pés, que não sabemos mais onde estamos e a que estádio do tratamento chegamos." Glover define a maneira de perceber do analista, no momento da seqüência transferencial, como um abalo das suas convicções. Fala das convicções, dos postulados do analista e até diz: "o solo falta sob nossos pés".

Primeiro, eu desejaria dizer que se deve partir do fato de que a neurose de transferência não é simplesmente um fenômeno que se concentra no analisando. Ela comporta repercussões muito precisas no analista. Repercussões que consistem em que, nesse momento de instalação do analisando no lugar do falo imaginário, o analista não sabe mais se deve deixar a reserva do silêncio, deixar de ficar silencioso, ou se, pelo contrário, deve silenciar mais do que nunca, ou se deve interpretar.

Vocês sabem o que se diz habitualmente: a interpretação é aquela da transferência. Todos concordam nesse ponto. Deveríamos dizer: a primeira intervenção correta, nesse momento, é interpretar. Mas o que ocorre com mais freqüência é que o analista, por um silêncio demasiadamente instalado ou por intervenções excessiva e diretamente ligadas à relação transferencial, seja o primeiro a nutrir, cristalizar, petrificar ainda mais esse momento da seqüência neurótica de transferência.

Lendo Glover, veremos que há todo um capítulo, chamado "As resistências do analista". E lendo Lacan, veremos que ele diz em "A coisa freudiana": "a resistência é a do analista."

Já em 1925, Glover dizia que o problema fundamental para a neurose de transferência era o que ele chamava de "As contra-resistências do analista". Considerava que é a posição inoportuna do analista que leva o analisando a instalar-se nela, e não a evitá-la, pois é um fenômeno que nunca se evita. Eu diria que é um fenômeno inerente à própria estrutura da relação analítica e ao próprio quadro da análise. Mas é verdade que certas intervenções do analista — silêncio excessivamente tenaz e persistente, intervenções que vão diretamente demais ao problema ou que são demasiado diretas no plano da transferência — ao invés de romper as resistências, para falar em termos antigos, vão criar ainda mais resistência, imobilizando, fixando, petrificando, congelando o paciente naquele momento e naquele lugar. Eis um exemplo das resistências do analista. Creio que, se há resistência do analista, ela se vê claramente nessa fase da neurose de transferência.

A dor de existir, a dor como falta

Vamos falar agora da questão da falta. O furo representa a falta em dois sentidos. Primeiro, um sentido clínico muito importante para as intervençãoes do analista: quando o paciente se encontra nesse estádio, há na verdade uma profunda dor. O paciente é identificado ao falo imaginário e manifesta ódio, cólera e amor. De fato, é muito diferente, segundo o lugar que ele nos atribui. Não é a mesma coisa ser amado apaixonadamente e ser apaixonadamente odiado. De um certo ponto de vista imaginário, ambos são paixões, concordo. Mas o analista ocupa dois lugares distintos.

No caso do amor, o analista está no lugar do grande Outro relativo ao desejo. No caso do ódio, o analista está no lugar do grande Outro que goza e persegue. É muito diferente, embora falemos de "amódio", de ódio e de amor. É verdade que, desse ponto de vista, é a ambivalência que opera, mas do ponto de vista do trabalho no momento dessas sessões, o analista não está no mesmo lugar.

Quando há ódio, sendo este, das duas paixões, a que mais se aproxima da falta, é o que nos paralisa mais nesse lugar e no trabalho do psicanalista. Quero dizer que a frase de intervenção que me ocorre algumas vezes é: "Você não quer que eu o escute." É como se fosse ele que dissesse: "Não quero escutá-lo." Como se eu dissesse: "Você não quer que eu venha para esse lugar. Você não quer que eu o escute. É o ódio cego, e você quer me cegar com esse ódio. Mas, por trás do ódio, apesar da sua pretensão de me cegar, eu constato, eu sei que existe a dor." Isso significa que, por trás da falicização, no interior dessa identificação do Eu com o falo imaginário, há um núcleo da falta; Lacan o teria chamado de objeto *a*, que aqui assume claramente a figura da dor.

Os analistas de certas escolas, como os kleinianos por exemplo, falam de depressão, tristeza ou até de melancolia. Pessoalmente, eu falaria de uma dor que não é necessariamente uma dor melancólica, mas que existe realmente alguma coisa da ordem de uma dor. Podemos pensar essa identificação não apenas como o objeto-Eu identificado com o falo, objeto da pulsão que chamo de fálica, mas também, do ponto de vista da dor, trata-se da pulsão sadomasoquista. Isso quer dizer que há, efetivamente, um masoquismo do analisando no fato de identificar-se.

Mas permitam-me acrescentar o que me parece muito importante: a neurose de transferência, num tratamento, é um abrigo. Contra que? Contra o fato de diluir-se. Um analisando, quando começa uma análise, diz: "Estou pronto a me dar, estou pronto para pensar." Em outros termos: "Estou pronto para me diluir no inconsciente." Depois, isso se torna intolerável. O "penso onde não sou. Penso lá, no inconsciente. Penso lá, através da fala. Penso lá, nas associações. Penso lá, onde não sou. Penso lá, onde me dissolvo" é intolerável.

Chega então esse momento de seqüência transferencial que nos lembra o acting-out, e que se pode, com razão, de acordo com o ensino de Lacan, diferenciar como sendo o inverso. É: "Sou onde não penso", pois, nesse momento da neurose de transferência, o sujeito é, mas não pensa.

Logo, no começo da análise: "Penso onde não sou". Isso se torna intolerável. Pausa. "Sou onde não penso". E é esse limiar que é preciso atravessar.

Penso onde não sou	Sou onde não penso
Início da análise	Neurose de transferência

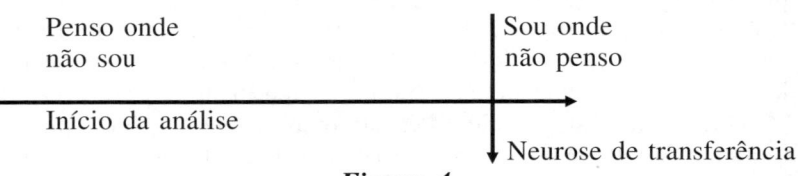

Figura 4

Por que dizemos isso? Para mostrar que a neurose de transferência é um fenômeno de Gozo. É isso que devemos compreender. Não é um fenômeno de paixão. É um fenômeno de Gozo. E esse gozo é um Gozo parcial. É um Gozo breve. É um Gozo local. É um Gozo de mostrar-se, de ser: "sou aqui". É como se o paciente dissesse: "Escute, até hoje, renunciei a ser, renunciei a me identificar com o que eu digo; agora, não sou mais, não suporto mais. Quero que você veja que eu sou. Quero que você me veja. Quero me mostrar. Quero ser para você. Quero ser para alguém."

É verdade que a análise tem uma expressão que Lacan tomou por empréstimo de Sartre: "A análise tem essa dor de existir". A dor de existir cessa justamente com essa identificação com o falo imaginário. A dor de existir é a dor do "penso onde não sou", e cessa com "sou onde não penso". E em "sou onde não penso", ainda há a dor como falta.

Vamos referir-nos ao termo "fálico".

Quero que saibam que, quando enuncio os termos, o que ocorre primeiramente é que tenho a reticência, a reserva de não apresentá-los gratuitamente, apenas porque eles advêm. Parece-me importante confirmá-los em um momento ou outro, a partir de diferentes perspectivas, até que eles pareçam ter uma maturidade suficiente para poder apresentá-los num seminário, por exemplo. Da mesma maneira que aqui proponho a expressão "pulsão fálica", há muitos outros termos que não proponho, mas que deixo à espera na gaveta.

A expressão "pulsão fálica" me parece correta. Por que? Primeiro, existe um problema: teoricamente falando, o leitor de Lacan e de Freud se choca com textos difíceis. Freud não distingue nitidamente, nem sempre, o amor da pulsão, o narcisismo da pulsão. Às vezes, ele o faz, outras não. Na "Metapsicologia", por exemplo, percebemos essa dificuldade em não distingui-los. Mais tarde, ele resolveu a questão e muitas correntes o seguiram e marcaram, efetivamente, a diferença entre narcisismo, isto é, o amor, e a pulsão. Disseram que eram dois níveis diferentes. É absolutamente correto. Mas parece que há um ponto em que narcisismo e pulsão convergem, coincidem, e é justamente e em primeiro lugar nesse momento da análise.

Mas ocorre, no momento da neurose de transferência, no qual o Eu do paciente se identifica com o falo, que ele se faça — objeto da pulsão. Assim, haveria aí um Gozo ligado à brincadeira de exibir-se, ostentar-se, mostrar-se ser. É muito particular e muito importante, exatamente, nas crianças. Na realidade, essa expressão foi confirmada para mim, de certa forma, pelo trabalho com crianças. Quando se vê a criança no estádio chamado fálico, o fenômeno típico desse estádio fálico não é a masturbação, não é manipular o sexo ou o pênis, ou, na menina, considerar que o pênis do menino é maior e olhar o seu corpo no nível do clitóris. O que me parece interessante nesse estádio fálico é todo o Gozo que as crianças têm brincando de ser o forte, o fraco, a mulher ou o homem. Isso significa que há uma exibição do ser. Ser o falo é mostrar-se ser. É isso que me parece justificar a denominação "Gozo fálico".

Não chamaremos essa pulsão de "sadomasoquista", porque há dois Gozos aqui. Há o Gozo da dor como falta, por trás dessa dimensão da neurose de transferência. E depois, há o próprio Gozo da identificação, que não é puramente imaginário. Se estivéssemos apenas na imagem, concordaríamos em não chamá-lo de "pulsão", nem chamar o Eu de "objeto pulsional". Mas, como o Eu tem uma coalescência íntima com essa imagem derradeira que é a imagem fálica, parece-me legítimo chamar essa pulsão, cujo objeto é o Eu identificado com o falo imaginário, de "pulsão fálica".

Essas são abordagens que podem, para alguns, parecer abstratas. Elas correspondem a certas maneiras de conceber algumas articulações da teoria. O que acontece é que o Eu-falo imaginário quer ser o objeto do suposto-desejo do analista. E a intervenção do analista, no manejo desse momento transferencial, está justamente nesse duplo nível: inicialmente, para separar a identificação do Eu do falo imaginário; em seguida, para intervir como corte entre o fato de se considerar como objeto do desejo do analista e o desejo próprio do analista. Digo isso teoricamente, o que é fácil. Seria necessária uma maior precisão, a respeito dos modos práticos de intervir.

*
* *

V
A contratransferência

Hoje, vamos abordar o problema técnico da contratransferência. Desejo começar dando uma visão de conjunto desse conceito técnico.

No ano passado, criticamos a acepção vulgar do termo "transferência", compreendido simplesmente como a relação do paciente com o seu terapeuta. Para criticar essa acepção geral, consideramos que a transferência era, antes de tudo, uma neurose de transferência. Assim, situamos o momento de sua emergência no tratamento e, ao mesmo tempo em que situamos essa segunda fase do tratamento, demonstramos o processo dessa neurose de transferência e indicamos — parcialmente, é verdade — o seu manejo técnico, isto é, o que o analista deve fazer quando é confrontado com esse período, com essa fase de neurose de transferência. Voltarei à questão do manejo técnico da neurose de transferência.

Definição

Mas hoje, gostaria de falar da contratransferência. Com essa palavra, "contratransferência", acontece algo similar ao que ocorre com a palavra "transferência".

Também esta é muitas vezes empregada num sentido excessivamente geral, para descrever o conjunto dos sentimentos e atitudes do analista para com o seu paciente. Isso é o que se entende habitualmente por "contratransferência". Esse uso do termo é muito diferente daquele que estava na origem do movimento analítico. Daí resulta uma confusão sobre o sentido preciso dessa noção. Assim, nesta noite, vamos examinar juntos o conceito de contratransferência, à luz das primeiras formulações freudianas e tentar, com Lacan, dar-lhe uma significação mais correta.

Histórico

Mas, primeiramente, para situar historicamente a questão da contratransferência, vamos dividir esquematicamente a evolução da técnica psicanalítica, de Freud aos nossos dias, em quatro períodos. Quatro períodos que se diferenciam segundo quatro tipos de ação do terapeuta. É esquemático, mas evidencia um salto fundamental. *Primeiro período*: a ação do terapeuta era extrair, extirpar. *Segundo período*: a ação do terapeuta era conscientizar, interpretar para tornar consciente. *Terceiro período*: a ação do terapeuta era interpretar as resistências. *Quarto período*: o dos nossos dias; é o período atual, que é o de ocupar o lugar do objeto da pulsão.

O primeiro período era **o da catarse**. O terapeuta devia extirpar, retirar um corpo estranho encravado no inconsciente do analisando ou, mais ainda, do doente. Na época, tratava-se de um doente. A ação do terapeuta consistia em provocar a descarga dos afetos ligados à idéia patógena inconsciente que estava na origem dos sintomas. E a descarga consistia em tomar o caminho de uma lembrança alucinada.
 Podemos fazer um esquema desses quatro períodos. Primeiro período: **extrair**. Podemos fazer disso um simples esquema. A idéia patógena está no centro; a catarse é a maneira de descarregá-la. Logo, é preciso descarregar a idéia patógena pela catarse. É muito simples.

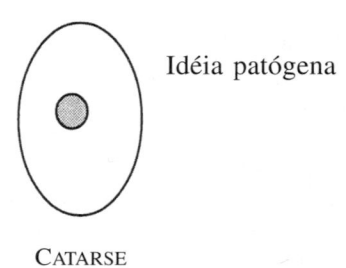

Idéia patógena

CATARSE
Figura 5

Segundo período: **interpretar para tornar consciente**. Nesse momento, que não durou muito tempo, dois ou três anos, Freud concebia a interpretação como uma proposta, feita ao analisando, de uma idéia semelhante, análoga à idéia patógena que ele supunha oculta na psique do paciente. Essa proposta, essa espécie de interpretação-proposta, dizia Freud, permitiria encontrar por afinidade a idéia patógena verdadeira e atrai-la para o consciente, não mais como lembrança alucinada, mas como rememoração consciente. Era a época da célebre recomendação — que ainda hoje se acredita válida — de tornar consciente o inconsciente. O postulado do segundo período era simples: a consciência do mal suprimiria o mal. De acordo com esse segundo período, era preciso conscientizar a idéia patógena, ir ao inconsciente por atração, por afinidade com uma idéia patógena semelhante, proposta pelo analista.

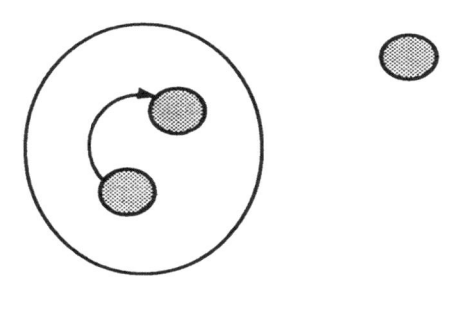

CONSCIENTIZAR
Figura 6

Terceiro período: a **interpretação propriamente dita**. Freud diz algo muito interessante: afinal, a tomada de consciência não surpreende por seus resultados e seus efeitos. Ela não dá os resultados esperados. Podemos fazer com que um paciente tome consciência do seu mal, mas não é por esse caminho que esse mal desaparecerá. E Freud faz um comentário importante para o nosso trabalho: "Existe uma estranha possibilidade, da qual dispõem esses doentes, de conseguir conciliar uma tomada de consciência, um conhecimento do seu mal, com a ignorância desse mal". Em outros termos, Freud diz: "Você pode fazer para ele as preleções que quiser, dar-lhe todas as explicações para torná-lo consciente do seu mal, explicar tudo. Entretanto, o recalcamento persiste. Infelizmente, ele é tenaz, continua a ignorar a origem, continua a recalcar a sua idéia patógena."

Antes de explicar esse terceiro período, devo dizer que Freud, nessa época, já não chamava mais o núcleo patógeno de "idéia patógena"; ele iria chamá-lo de "desejo patógeno" ou, mais exatamente, "fantasia patógena", termo com o qual trabalhamos e que utilizamos hoje. Desejo ou fantasia recalcada, logo inacessível à consciência, em razão das resistências opostas pelo Eu. Mas resistências a que? Contra que o Eu resiste? Resiste em experimentar o desprazer, o profundo desprazer que a emergência do recalcado inconsciente significa. A resistência é sempre resistência contra a dor. Peço-lhes que se lembrem disto: **resistir é resistir contra a dor**. Esta é a questão essencial da contratransferência.

De que tipo de resistência se trata? Nessa época, havia para Freud uma série de resistências. À medida que a teoria analítica evoluía, Freud propunha um conjunto de tipos de resistências. Assim, ao longo de sua obra, ele falou da: **resistência do recalcamento**, ou, mais exatamente, resistências produzidas pelo contra-investimento. O que quer dizer isso? Quer dizer que o Eu investe fortemente, excessivamente, outras representações inconscientes. Investe por outro lugar, para desviar a energia psíquica. Contra-investe. Investe fortemente em outro lugar, a fim de deslocar a energia encerrada na representação patógena. Segundo tipo de resistência: **resistência do benefício primário e secundário da doença**. O paciente se apega à sua doença e luta contra o seu restabelecimento. Terceiro tipo de resistência: **resistência do Isso**, compreendida como a compulsão a repetir, isto é, persistir. É a mesma produção mórbida que existia antes e que vai existir durante toda a vida do sujeito. Quarto tipo de resistência: **resistência do Supereu**, na sua forma mais expressiva, isto é, o sentimento inconsciente de culpa, manifestado pela necessidade do paciente de sofrer e continuar doente a fim de expiar um erro.

Em suma, todas essas séries de resistência são destinadas a eliminar o jorro doloroso do inconsciente. Mas, nessa enumeração, falta a mais importante das resistências, a **resistência de transferência**. A transferência é uma resistência enquanto neurose de transferência. Com efeito, a transferência é resistência enquanto o tratamento atravessa esse momento, que, no ano passado, qualificamos de *se-*

qüência dolorosa da transferência e que era para nós a expressão mais essencial da neurose de transferência. Explicamos essa *seqüência dolorosa da transferência* através da identificação. Explicamos que havia nisso uma identificação do Eu do analisando com o falo imaginário. A resistência da transferência poderia traduzir-se pela declaração seguinte, que o analisando ou o Eu inconsciente do analisando faria: "Prefiro viver a dor da paixão transferencial, prefiro experimentar essa insuportável paixão que me liga a você, analista, prefiro isso a sentir a dor da emergência imprevista do desejo inconsciente."

Se fizermos um esquema, diremos: terceiro período, desejo patógeno, e depois série de resistências que a interpretação deve suprimir, para ter acesso ao desejo inconsciente.

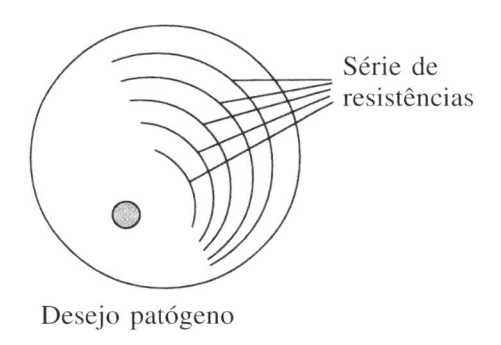

Figura 7

A contratransferência

Chegamos agora ao **período atual**. É o período que vivemos atualmente, na evolução da técnica analítica. É nesse período que vamos encontrar o conceito de contratransferência. É um período que caracterizarei por dois postulados fundamentais, que regem a teoria da técnica que praticamos.

Primeiro postulado: o núcleo patógeno que chamamos de desejo ou fantasia, esse núcleo oculto no inconsciente e que era preciso extirpar do paciente na época catártica, agora nós o encontramos no exterior, fora do analisando e o chamamos, como Lacan, de "objeto do desejo", "objeto *a*", ou ainda "objeto da pulsão", segundo a nossa exposição do ano passado a respeito do objeto enquanto atrator da libido. Assim, primeiro postulado: o Eu recalcado está fora do analisando.

Segundo postulado: esse lugar, esse objeto ex-cêntrico ao sujeito, funciona à maneira de um atrator. Eu disse há pouco que ele funciona à maneira de um atrator que atrai a libido para si, a polariza em torno de si, cria a transferência ou, mais exatamente, o nível matricial, a matriz da neurose de transferência.

Pois bem, esse objeto exterior, fora do analisando, que constitui o lugar que reservamos para o psicanalista, permite a este definir a sua ação, a partir de uma única recomendação, que não é a de extirpar ou extrair, como no primeiro período, nem a de conscientizar e nem mesmo de interpretar, mas de ocupar o lugar do objeto. O objeto do desejo está no exterior, e esse lugar exterior é aquele que o analista deve ocupar.

Trata-se pois, primeiramente, de interpretar a resistência, e depois, de ocupar o lugar do objeto. A ação do analista é a de tomar o seu lugar, assumir a sua função.

Lugar do analista

Objeto do desejo

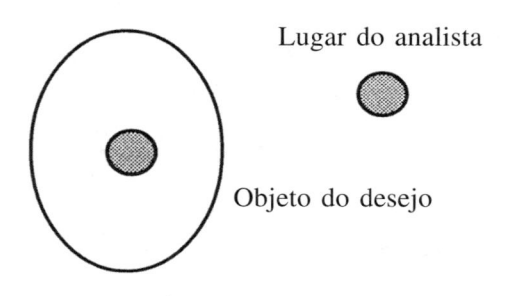

Figura 8

Podemos precisar que outros autores, especialmente anglo-saxônicos, defendem, a seu modo, uma posição semelhante. Também para eles, o lugar do analista é o de um objeto situado fora do sujeito, isto é, a evolução da técnica analítica poderia resumir-se em uma mudança radical do interesse do psicanalista, num salto operado ao longo de cinqüenta anos, digamos entre 1900 e 1950. Esse salto foi o seguinte:

no início, o interesse estava dirigido para o paciente e para o corpo estranho que era preciso extirpar dele. Hoje, o interesse se dirige para o psicanalista e para as modalidades operadas para assumir essa função.

Marco a data de 1950 porque, nessa época, diferentes autores na Inglaterra, nos Estados Unidos e na Argentina publicaram os primeiros trabalhos referentes à contratransferência. Em 1950, apareceu uma série de artigos surpreendentes. O primeiro era de Winnicott, entre 1948-49 e até 1960, pois houve toda uma série. Os primeiros artigos, entre 1948 e 1953, sobre a contratransferência, marcaram essa etapa. Mas, principalmente, foi nessa época que Lacan começou a lançar as bases da sua teoria sobre a técnica. Nessa época, alguns lhe teriam pedido: "Fale-nos de todas as variedades possíveis de psicanálises". Então, Lacan intitulou o seu artigo como "Variantes do tratamento-padrão", e fez uma piada como resposta à pergunta "Deve-se fazer um tratamento-padrão ou não?", dizendo: "Uma psicanálise, padrão ou não, é o tratamento feito com um psicanalista." Faço uma paráfrase da resposta de Lacan, dizendo: "Uma psicanálise, padrão ou não, é o tratamento que se organiza segundo o analista ocupe ou não o lugar do objeto."

Esse artigo de 1955, "Variantes do tratamento-padrão", é inteiramente consagrado ao psicanalista. A partir daí, a relação analista-lugar ficou localizada como o elemento decisivo num tratamento praticado hoje.

Qual é a ordem de subjetividade que o analista deve procurar em si mesmo, para conseguir ocupar o do objeto lugar? Em outros termos, o que se requer da pessoa do psicanalista para assumir a sua função? É uma pergunta que implica o fato de que nem todo mundo pode exercer essa profissão. Por que nem todo mundo pode exercer essa profissão? Porque pode haver controles que não sejam cumpridos para assumir essa função. É em resposta a essa interrogação que surge, entre outras, a necessidade de dois conceitos: um conceito maior e um conceito menor subsidiário, secundário.

O conceito maior que responde a essa pergunta é o conceito de **"desejo do psicanalista".** O conceito lacaniano de desejo do psicanalista pode se definir como o fato de que o analista ocupe efetivamente, e segundo diferentes modalidades, o seu lugar de objeto atrator. Logo, o desejo do analista seria o conceito maior que define a situação na qual o analista, efetivamente, ocupa o lugar do objeto.

Depois, há um conceito menor, subsidiário, criativo. É o conceito de **"contratransferência"**. O conceito de "contratransferência" define o conjunto dos obstáculos imaginários que se opõem a essa ocupação. Logo, se o desejo do analista designa o fato de ocupar efetivamente o lugar do objeto, a contratransferência designa tudo o que se opõe a isso.

Por hoje, vou deixar de lado o primeiro conceito, desejo do analista, pelo menos nas formulações explícitas para tratar apenas do segundo conceito, menos importante, de contratransferência.

Antes de estudar a fundo e mais precisamente o sentido do termo técnico "contratransferência", já percebemos, através do pouco que dissemos, que, ao contrário do uso habitual, o termo "contratransferência" se define não no interior da relação do psicanalista com o seu paciente, mas no interior da relação do psicanalista com o lugar do objeto. Logo, a contratransferência não deve ser situada entre o analista e o paciente, mas entre o analista e o lugar, entre o analista e o lugar do objeto.

Nem todo mundo pode ser psicanalista

Vocês acabam de fazer uma pergunta: o que se requer, da parte da pessoa do analista, para assumir a sua função, o seu lugar? É pouco, eu disse uma frase forte. Disse-a de passagem, mas é muito significativo: nem todo mundo pode ser psicanalista. É preciso dizer isso, na medida em que abordamos a prática da análise e sua teoria e, particularmente a técnica, com um máximo de rigor. É uma questão muito extensa. Ela afeta o campo ético, o campo da formação. Ela afeta diferentes questões.

Um autor que todos conhecem, Sandor Ferenczi, bem antes de 1950, isto é, antes que Winnicott e Lacan refletissem nessa questão, já evocara esse ponto. Gostaria de lembrar um trecho célebre de um dos seus artigos, publicado em 1928. Ferenczi diz: "Um problema, até agora não estudado, para o qual chamo a atenção, é o de uma metapsicologia, que está por fazer, dos processos psíquicos do analista durante a análise". Uma metapsicologia dos processos psíquicos do analista durante o seu trabalho. "Sua oscilação libidinal, dizia Ferenczi, mostra um movimento pendular, que o faz ir e vir entre uma identificação e um controle exercido sobre si mesmo." Digo exatamente a mesma coisa que ele: sua oscilação libidinal mostra um movimento pendular que o faz ir e vir entre uma identificação — o amor do objeto na psicanálise — e um controle exercido sobre si. Logo, identificar-se e, ao mesmo tempo, confrontar-se. Durante o trabalho prolongado de cada dia, o analista não pode abandonar-se completamente ao prazer de expressar livremente o seu narcisismo e o seu egoísmo. Não pode expressá-los como faria na realidade em geral. Só pode expressá-los em imaginação e por breves momentos. Ferenczi termina dizendo: "Não duvido de que uma carga tão excessiva como essa, que dificilmente se poderia encontrar na vida, exija, cedo ou tarde, o estabelecimento de uma higiene especial para o analista."

A partir dessa época, 1928, e em grande parte graças à obra de Lacan, que foi um dos primeiros a fazer um esforço extraordinário para responder à demanda de Ferenczi para que se estabelecesse uma metapsicologia dos processos psíquicos do analista, o conceito de desejo do analista veio dar uma seqüência a esse texto de Ferenczi. Depois, houve muito progresso, não só no nível da teoria, mas também no nível da metapsicologia dos processos psíquicos do analista, e igualmente muitas dificuldades quanto a essa "higiene especial" para o analista.

Precisamente em 1910, dezoito anos antes, por ocasião do II Congresso Psicanalítico, Freud fala pela primeira vez da contratransferência, da qual Ferenczi faz menção aqui. Esses textos, nos quais menciona o termo de "contratransferência", podem ser contados nos dedos da mão, e todos, na verdade, se situam no ano de 1910. Existem cartas e vou citar algumas. Há um texto que se chama "O futuro da psicanálise". Se vocês lerem esse texto muito belo, muito curto, verão bem que há uma tranqüilidade, uma segurança sobre o progresso efetivamente realizado. Muitas coisas ditas ou apresentadas por Freud foram confirmadas. Para confirmar, justamente, os progressos realizados pela psicanálise, Freud menciona, por exemplo, o avanço obtido com a teoria do simbolismo. No nível técnico, Freud fala de uma inovação ténica, que ele chama de "contratransferência". Essa inovação, essa novidade técnica, não era uma descoberta a mais da teoria da técnica, mas, antes, a localização de um obstáculo que passara, até então, despercebido. O progresso consistia na descoberta de uma falha, de uma dificuldade, onde nada se percebera até então. Freud propõe então a instalação de medidas adequadas para superar o obstáculo.

A contratransferência: uma resistência do analista?

Freud descreve a contratransferência como o resultado das influências exercidas pelo paciente sobre os sentimentos inconscientes do analista. Essa primeira definição está na origem de muitos sentidos confusos, de numerosas acepções turvas do termo técnico "contratransferência". Caso situemos essa única definição de Freud no contexto das conferências do Congresso de Nuremberg de 1910, não há dúvida de que a contratransferência é um obstáculo, ou, mais exata e rigorosamente, é uma resistência do analista. Não há dúvida sobre esse ponto; a definição é perfeitamente clara. Algumas linhas depois, para nos atermos às palavras do texto, encontraremos a palavra "resistência". Mas Freud não reconhecia apenas que a contratransferência é uma resistência, reconhecia também dois tipos, duas espécies ou expressões típicas de contratransferência.

Numa carta de 1910 a Binswanger — que nessa época estava próximo de Freud e mais tarde se tornou o analista fenomenólogo que conhecemos —, nessa carta, assim como em uma intervenção que Freud fez no mesmo ano durante um debate da Sociedade Psicanalítica de Viena, que se chamava "Sociedade das Quartas-Feiras", porque essas reuniões se faziam nesse dia, Freud utilizou a palavra "contratransferência" para advertir o analista contra a tentação de ligar-se afetivamente ao seu paciente. Contratransferência queria dizer, para Freud, naquele momento, um modo errôneo de amar o analisando.

Eis o que ele escreve nessa carta destinada a Binswanger: "O que opera na relação com o paciente nunca deve ser um afeto imediato, mas sempre conscientemente concedido e isso, mais ou menos, segundo as necessidades do momento." Conclui sua carta, dizendo: em certas circunstâncias, "pode-se conceder mais, mas nunca tirando do seu próprio inconsciente. É preciso pois reconhecer a sua própria contratransferência e superá-la."

Assim, em 1910, nas reuniões da Sociedade das Quartas-Feiras, em um debate sobre o caso de uma criança, Freud disse: "Enquanto o paciente se apega ao médico, o médico está submetido a um processo similar, a contratransferência. Essa contratransferência deve ser completamente superada pelo médico. Só isso poderá torná-lo senhor da situação." E acrescentou: "Isso faz dele o objeto perfeitamente frio, que a outra pessoa — o analisando — deve cortejar com amor." O interessante é que o seminário de Lacan sobre a transferência, que se chama "A transferência e a disparidade subjetiva", de 1960, é em grande parte o desenvolvimento de uma frase como essa. Dita dessa maneira, essa frase nos surpreende, mas é a posição que Freud tinha na época.

Se esse amor impróprio, essa maneira errônea de amar o analisando é uma das duas contratransferências características detectadas por Freud já nessa época, a outra forma típica de contratransferência é o saber. Uma é o amor, a outra o saber, ou melhor, o saber pré-consciente. O saber que leva o analista a escolher o material que vai interpretar, ao passo que pediu ao paciente, com a regra fundamental, que renunciasse à censura. Ele disse ao paciente: "Deixe vir a mim todos os pensamentos que lhe vêm à cabeça. Não escolha." "O analista, disse Freud, também não deve escolher o material que vai interpretar."

O psicanalista e a surpresa

Um comentário, voltando à nossa época atual: não é exatamente dessa maneira que eu trabalho, por exemplo. Existe um texto de Freud que é importante ler e conhecer, no qual ele insiste ainda — e nisso, devem-se marcar bem as diferenças, porque elas não concordam com a prática de certos analistas — em dizer que o analista não deve ter um plano preconcebido para a sua ação; deve ficar aberto ao inesperado, deve estar pronto para deixar-se surpreender, para surpreender-se. Naturalmente, essas palavras também são as minhas: estar pronto para a surpresa, para o espanto, para o imprevisto, não ter plano preconcebido. É exato. Mas se baseio-me em outros textos de Freud, há como que uma contradição aparente. Por exemplo, ele escreve a Abraham: "Atenção! Esteja atento a tudo o que aparece na superfície psíquica do seu paciente. Esteja atento aos complexos, atento às resistências. Atenção! Atenção!". Por um lado, ele diz ao analista que não deve escolher e, por outro, que deve estar atento, alerta e pronto para saltar sobre o material.

A posição correta não é nem uma nem outra. Seria preciso ver o analista num trabalho prático, em plena sessão de análise. Não sei se é satisfatório, mas de qualquer forma é preferível pensar que o analista deve ter uma hipótese de bolso. É preciso que, durante um período do tratamento, durante certas sessões, ele parta para a escuta do seu analisando com uma hipótese relativa, parcial e provisória, sobre aquilo que está ocorrendo ou sobre aquilo que ele pensa que deve ocorrer. Há muito tempo, sabe que deve escutar os derivados inconscientes. Isso não o impede de estar disposto para a surpresa, de estar aberto para o imprevisto, para o acontecimento, o inesperado, o espanto, e para poder deter-se e interrogar-se quando da emergência desta ou daquela incidência inconsciente.

Voltemos a Freud, em uma época anterior. Efetivamente, para Freud, há **duas formas típicas de contratransferência**: o amor mal concedido, e o saber excessivamente aplicado.

Desde a época dos primórdios da psicanálise, entre 1910 e 1950, são quarenta anos de silêncio. E desde 1950 até hoje, desde Winnicott até um artigo publicado no *International Journal* de 1986 intitulado "A reelaboração do conceito de contratransferência", a questão continua atual. Todos os autores que estudaram essa noção de contratransferência concordam em considerar que a contratransferência é uma resistência, um obstáculo. O problema começa quando se trata de definir a natureza desse obstáculo, quando se trata de tentar compreender: em relação a que a contratransferência constitui um obstáculo? Que elemento a resistência contratransferencial desejaria evitar? O problema começa quando nos preocupamos, por exemplo, em distinguir a resistência da transferência da resistência da contratransferência.

Temos aqui as três perguntas que vamos retomar. Qual é a natureza da resistência da contratransferência? Qual é a diferença entre a resistência da transferência e a resistência da contratransferência? E enfim, que elemento a resistência contratransferencial desejaria evitar?

Aspectos clínicos da contratransferência: duas correntes teóricas

Mas, antes de abordar essas perguntas, vejamos sob que forma concreta se apresenta hoje a contratransferência.

Desejo fazê-los perceber de maneira mais viva quais são os fatos, quais são os aspectos práticos sob os quais se apresenta a contratransferência. A partir da primeira reflexão de Freud, em 1910, vão ordenar-se duas linhas, duas correntes teóricas.

A primeira corrente identifica a contratransferência com o conjunto de toda a personalidade do psicanalista que visa o conjunto das reações, sentimentos, pensamentos, atos relativos à pessoa do analista diante do paciente. É uma primeira corrente, que concorda com a idéia, excessivamente genérica, usual, vulgar, que temos da contratransferência: tudo o que acontece com o analista diante do seu paciente. Essa corrente é representada especialmente por Paula Heimann e Winnicott, porque foram os primeiros a abordar a questão dessa maneira. Essa corrente propõe, já nessa época, considerar cada uma das vertentes da personalidade do analista diante do seu paciente como uma eventual fonte de interpretações destinadas ao analisando. Chamam isso de "instrumentalizar a contratransferência", isto é, transformar as sensações, os pensamentos, os atos do analista em um instrumento destinado ao tratamento. Nisso, certamente seguiram o que Freud fizera com a transferência. Freud fizera a mesma coisa. No começo, ele diz: "A transferência é uma resistência, um obstáculo. A paixão transferencial detém o analisando no fluxo de suas associações, no seu trabalho, nas suas possibilidades de fazer emergir o inconsciente." E depois, acrescentou, no célebre texto da "Dinâmica da transferência": "Mas, na verdade, a transferência é também o motor do tratamento, porque é somente em condições de transferência que uma interpretação tem a possibilidade de ser recebida e que o analisando tem a possibilidade de ser efetivamente convencido do valor da intervenção do analista."

Logo, a transferência seria resistência no começo e, depois, motor. Vertente negativa, vertente positiva da transferência.

Esses autores aplicaram a mesma coisa à contratransferência. Eles dizem: "A contratransferência é uma resistência, mas é também um instrumento positivo, uma ação eventual a ser levada para o seio do tratamento. É preciso declarar ao paciente, durante esse momento, o que se sente, o que se vive, o que se experimenta diante de si próprio."

Os exemplos que a maioria dos autores dão da contratransferência consistem em sentimentos excessivos de amor ou de ódio para com o paciente, devaneios eróticos com ele. Os impasses sentidos pelo analista, que o tornam completamente refratário ao dizer do paciente, as condutas de onipotência narcísica, uma certa arrogância, uma certa vaidade, uma certeza, uma segurança excessivas, atitudes pedagógicas.

Também se podem tomar como forma de contratransferência todos os erros técnicos que aparecem como expressões contratransferenciais. O artigo de Winnicott que se intitula "A reelaboração do conceito de contratransferência", publicado no *International Journal* de 1986, fala justamente disso.

Que erros técnicos? Erros técnicos cometidos independentemente da formação do psicanalista: por exemplo, a falta de uma palavra esperada ou, ao contrário, uma palavra proferida em tempo inoportuno, silêncios impróprios, excessivos, mal situados, intervenções comunicadas ao analisando em linguagem demasiado técnica ou intelectual etc, isto é, o conjunto das manifestações tipicamente contratransferenciais. A maioria dos autores reconhecem perfeitamente isso como expressões contratransferenciais. Mas como explicá-las? Como situá-las, em relação a que eixo teórico? Em relação a que problemática? É aqui que começam as dificuldades. Depois, é preciso fazer distinções no interior desses fenômenos que acabo de mencionar.

A outra corrente é representada por autores como Margaret Little, que é uma boa representante dessa linha. Esses autores reduzem, ao contrário, o campo da contratransferência às manifestações exclusivamente inconscientes do analista, como pode ser um sonho no qual aparece o paciente. Se um analista sonha com seu paciente, eles dirão que se trata de uma manifestação contratransferencial. Ou, em momentos raros, mas importantes, de percepções visuais, escópicas, olfativas, auditivas, cenestésicas ou táteis por parte do analista, que podem ser consideradas — são minhas palavras — como percepções inconscientes, no analista, do inconsciente do paciente. Digo que são palavras minhas, mas, na verdade, existe um artigo que foi comentado durante uma de nossas reuniões do "Seminário restrito", em que Margaret Little declara: "Meu inconsciente percebeu inconscientemente o inconsciente do paciente."

Logo, temos duas linhas: a contratransferência é o conjunto de todas as reações do analista diante do seu paciente, ou a contratransferência é unicamente a percepção direta e inconsciente, por parte do analista, do conjunto das manifestações das emergências do inconsciente do paciente.

Qual é a nossa posição? Para responder e fazer-lhes uma proposta, eu diria, para começar, que é uma proposta que faço com Lacan. Prefiro explicar-me abordando o problema por um outro viés. É o viés das perguntas que fizemos acima, isto é: qual é a natureza da resistência de contratransferência? Que diferença existe entre a resistência da transferência e a resistência da contratransferência? Contra que força luta essa resistência?

A transferência é ocasionalmente uma resistência que se manifesta, por exemplo, através de um silêncio tenso que detém bruscamente o fluxo das associações do paciente. É um momento típico da resistência de transferência, relativo ao momento em que o paciente detém as suas associações. Freud diz: "Nesse momento, pode estar certo de que o paciente pensa em você, e, se não pensa mentalmente em você, é a você que esse silêncio se refere. É um silêncio de transferência."

O que Freud chama de "resistência" ou então, mais geralmente, todo esse período de resistência de transferência, que designamos com a expressão "seqüência dolorosa de transferência", na qual o paciente preferiria não ter mais que falar de si mesmo, não é uma pausa mentalmente destinada às associações, mas um período, uma fase que explicamos pela identificação do Eu do analisando com o falo imaginário, suposto no analista. Fórmula que demos: "Não falo, não penso onde sou o falo imaginário."

Do mesmo modo, a contratransferência é também uma resistência, um obstáculo que confunde, incomoda e perturba o trabalho de escuta do analista. Voltaremos depois ao elemento contra o qual a contratransferência é um obstáculo.

Diferenças entre resistência de transferência e resistência da contratransferência

Entretanto, as duas resistências, a de transferência e a da contratransferência, são radicalmente distintas e heterogêneas. Aparentemente, essas duas perturbações, a da transferência e a da contratransferência — por exemplo: o silêncio, no paciente, no momento em que este fala, e um sentimento de amor ou de ódio excessivo do analista por seu paciente — essas duas resistências têm um traço comum. Elas surgem no analisando ou no analista sem que o sujeito saiba. Isto significa que esse silêncio se apresenta além de toda intenção e esse sentimento excessivo também se apresenta além daquilo que o próprio analista pode compreender. Mas, num caso trata-se de uma resistência que faz parte do inconsciente, enquanto que, no outro caso, trata-se de um derivado deformado e indireto do inconsciente. No caso da resistência de transferência, estamos diante de uma resistência que faz parte do inconsciente, isto é, de uma resistência que é uma verdade, ou melhor, uma meia-verdade.

Surgimento do Sujeito do inconsciente

Por que isso uma verdade? Porque essa resistência significa a existência, nesse momento, no exemplo do silêncio, no momento em que o paciente se detém, detém o fluxo das associações, nesse mesmo momento, esse silêncio é uma verdade.

Por que é uma verdade? Porque esse silêncio vem significar o nascimento, a gênese, a geração, a constituição do Sujeito do inconsciente. Isso quer dizer que há ali, nesse momento, mais do que um silêncio; há uma emergência do inconsciente. É exatamente no momento da resistência de transferência que o Sujeito se constitui. Isso quer dizer que o inconsciente se produz e se estrutura. O Sujeito nasce com o corte. Há emergência do inconsciente no exato momento do aparecimento da resistência de transferência.

Ao passo que, no caso de que tratamos, a resistência da contratransferência não é uma verdade, nem mesmo uma meia-verdade. É simplesmente um erro.

Retomando o nosso vocabulário habitual, diremos que, num caso, a resistência de transferência faz parte do inconsciente, é uma verdade, um significante. No outro caso, a resistência da contratransferência, ela não faz parte do inconsciente; diremos que é uma imagem.

A resistência de transferência

A resistência de transferência é um significante. A resistência da contratransferência é uma imagem, e como toda imagem, é uma falsa imagem.

Mas com que critérios estabelecer essa distinção? Por que dizer que uma coisa é significante e a outra imaginária? Com que critérios dizer que uma coisa é verdadeira e a outra um erro? Com um único critério: a partir do momento em que o analisando se engaja na sua análise, sob a égide da regra fundamental — "Fale" ou "Estou escutando" —, a partir do momento em que se submete à escuta do analista, toda manifestação que ultrapasse o sujeito poderá ser considerada como sendo um significante que representa o seu inconsciente diante de um outro significante encarnado pelo campo aberto da escuta do analista ou, com mais exatidão, pelo campo aberto do conjunto infinito das interpretações possíveis.

A resistência de transferência é significante porque, simplesmente, ela é interpretável. A resistência de transferência é sensível, suscetível de interpretação. Ao contrário, a resistência da contratransferência é uma imagem, uma representação pré-consciente. Ela não é um significante, não é uma verdade, não se oferece à interpretação. Não representa o sujeito, como diria Lacan, para um outro significante. Ela representa algo para alguém: exclusivamente para o analista. Isso significa que sou eu, analista, que terei uma chance eventual de me auto-analisar e dizer a mim mesmo: "Tenho sentimentos excessivos para com meu paciente. Mas essas manifestações que me ultrapassam não se oferecem à eventualidade lógica da interpretação."

Em resumo, o analista está só, fundamentalmente só, diante das suas próprias reações contratransferenciais. E é então que intervém a ação da auto-análise. Freud dizia: "Para suprimir, para temperar a contratransferência, auto-analisem-se. Analisem os seus sonhos. Habituem-se a pensar nos seus sonhos." E acrescenta: "Não basta auto-analisar-se. Além disso, é preciso que os analistas façam análise." É preciso que os analistas, também eles, façam uma experiência analítica, mesmo que não estejam sofrendo.

Foi a escola de Zurique que teve a idéia de propor a Freud a análise didática como meio de fazer essa "higiene especial" de que falava Ferenczi.

Mas, quando digo que o analista está só diante das suas reações contratransferenciais, não existe apenas a auto-análise, isto é, o exercício de pensar nos seus sonhos e em suas manifestações inconscientes, não existe apenas a análise didática, existe também a ação da supervisão.

Há um ponto a trabalhar no que se refere ao problema da supervisão. Penso que se deve abordar o tema da supervisão pelo viés da contratransferência. O trabalho de supervisão, seu material não se refere apenas ao paciente do qual o analista fala, mas também às reações contratransferenciais do analista. Digamos que são os três meios: auto-análise, análise didática e supervisão, que existem, não para suprimir a contratransferência, mas para orientá-la, a fim de favorecer o acesso do analista ao seu lugar de objeto.

Nossa posição sobre a contratransferência: uma questão de ordem ética

Desejo terminar fixando a nossa posição. Ela não é a da corrente que considera a contratransferência como o conjunto das reações da pessoa do analista. Também não é a que chama de contratransferência as manifestações especificamente inconscientes. Creio, como Lacan, que se trata de uma questão de ordem ética. Então, proponho-lhes a seguinte posição: concordaríamos com o primeiro grupo de autores, incluindo sob o termo de contratransferência todas as reações do analista durante um tratamento e, aparentemente — aparentemente, insisto — referidas ao paciente, mas com as seguintes condições: primeiro, considerar essas reações do analista como reações imaginárias diante de si mesmo, essencialmente egóicas, e não diante do seu paciente. Depois, considerar que é preferível calar essas reações não comunicando o seu conteúdo ao paciente, isto é, não instrumentalizá-las.

Sobre esses dois pontos, nós nos opomos à corrente que diz: "todas as reações do analista + sua instrumentalização". Nossa posição é: certas reações narcísicas, imaginárias, egóicas = não instrumentalizá-las.

A angústia do analista: signo da iminência de um perigo

De toda a lista que fizemos das manifestações contratransferenciais, privilegiamos uma, que está na base de todas as reações, de todas as resistências de contratransferência. É a **angústia do analista**. A angústia, nem sempre consciente, é, ao mesmo tempo, a marca aguda, o signo da iminência de um perigo para o analista.

Esse perigo é duplo: o primeiro é o perigo que significa, para um analista, o temor que ele tem, a hesitação, o medo de aprofundar a análise, de impulsionar e conduzir o analisando, de acompanhá-lo na travessia e na vivência da *seqüência dolorosa da transferência*.

Ele tem medo e se angustia porque essa experiência é uma prova dolorosa não só para o paciente, mas é também uma prova dolorosa para o analista, e nada garante que essa prova tenha um resultado favorável. É o que Freud chama de "rochedo da castração". Nunca estamos certos de poder contornar esse rochedo, atravessá-lo e passar para outra etapa. Logo, a angústia surge diante da possibilidade de levar um analisando a atravessar essa prova.

Um outro perigo provoca a angústia do analista: é o de ter que ocupar efetivamente o lugar do objeto. *Mas o que significa, para ele, "ocupar efetivamente o lugar do objeto"?*

Há pouco, no início, dei uma primeira definição de contratransferência. Eu disse: a contratransferência é o conjunto dos obstáculos imaginários que se opõem à acessibilidade do analista à ocupação do seu lugar. Pois bem, o analista pode ocupar esse lugar do objeto de diferentes modos. Diria que há três modalidades de ocupar esse lugar: uma das modalidades é ocupar o lugar do objeto fazendo como o objeto, lembrando o objeto, mimetizando o objeto, ocupando o véu do objeto, o que Lacan chama de "semblante do objeto". É fazer silêncio. É o primeiro modo de ocupar o lugar do objeto. Eu disse: "fazer silêncio-em-si". Se ocupamos esse lugar do objeto, existe então uma chance para que haja interpretação. Correta ou não; isso é outra questão. Toda interpretação é inexata ou incompleta. Ocupar o lugar do objeto quer dizer — primeira variante — vir ao lugar de véu do objeto através do silêncio, o "silêncio-em-si", de modo a estar em condições para intervir através de uma interpretação.

O outro modo de ocupar o lugar do objeto é o que significa, a partir da nossa prática, do nosso saber, da nossa teoria, ocupar o lugar do objeto alucinando-o. É ocupar o lugar do objeto, não fazendo silêncio-em-si, mas percebendo-o inconscientemente através de uma percepção alucinatória do objeto. É perceber alucinando mentalmente a partir do silêncio-em-si, a dor psíquica do paciente, do outro.

Essas experiências são o reflexo, como diz Freud, de um contato imediato do inconsciente do analista com o inconsciente do paciente. Não se trata de uma comunicação de inconsciente a inconsciente, embora isso tenha um certo valor. Não renego totalmente essa fórmula; aliás, Lacan também não a renegava, embora em certos momentos a criticasse, mas continuava a segui-la. Encontramos, por exemplo, uma frase curiosa, na qual ele reconhece o valor de uma fórmula como a da comunicação dos inconscientes. Mas não digo: comunicação dos inconscientes. Digo: é a experiência da alucinação como sendo uma *percepção inconsciente alucinada da dor psíquica do seu paciente.* É uma manifestação direta, imediata, aguda, do desejo do inconsciente. É disso que o analista tem medo. É com esse perigo que ele se angustia. É isso, o medo que o analista sente, que percebe como um pressentimento. É contra esse perigo que um pensamento contratransferencial intervém.

Pensando na contratransferência, ocorreu-me a imagem do analista como jogador de tênis. É simples. Temos o paciente e o analista. Os dois jogam tênis. A bola é o objeto. Em certo momento, o analisando manda a bola para o analista, como uma brincadeira, mas é uma verdade. O analista, no momento em que a bola chega, se angustia. Subitamente, ouve alguém que o chama, de fora do campo. Vira-se e deixa a bola passar. É o apelo. Ele se angustia, larga a raquete e deixa a bola passar. Pois bem, a contratransferência é o apelo. O desejo do analista é a raquete, e o perigo é a bola, o objeto. Esse perigo não é sempre mentalizado, nem sempre explicitado, formulado. Penso que o fato de pressentir essa experiência de ocupar, efetivamente, de modo agudo, o lugar do objeto, depende da formação do analista, da maturidade do seu trabalho, da sua maturidade na profissão. Para mim, com todos meus anos de experiência, é o que considero como o perigo contra o qual um analista é sempre obrigado a lutar, na sua prática. Esse perigo toma então outra forma. O analista pensa: "Se ocupo esse lugar, enlouqueço, desintegro-me, dissolvo-me, desfaço-me e, do ponto de vista físico, fico doente. Não posso pegar a bola no pulo."

A prática da análise, trabalhar como analista, implica levar o paciente até onde pudermos, mas não além do limite em que afetamos, expomos a nossa integridade mental e física. É o medo de ficar louco, seja pelo trabalho, seja pelo paciente.

Falo dessa maneira mas não sei se podem me compreender. Certamente, podem ouvir-me com o ouvido, mas não sei se me ouvem, se me escutam, do ponto de vista do seu trabalho. Para que me ouçam, é preciso que o que eu digo, vocês já o tenham dito a si mesmos. Se não o disseram, não me ouvirão. Escutar alguém é isso. Não é escutar alguém que me fala, mas é escutar alguém que me diz o que eu já me disse, ou o que o outro já me disse. O que ouço apenas repete, põe em relevo o que eu já me ouvi dizer.

De qualquer forma, este é um seminário sobre a técnica psicanalítica. É meu papel, a partir do lugar que ocupo, fazer esse trabalho de ensino, de transmissão da psicanálise, e devo ir até o fim, com muita precaução. Não digo tudo o que penso, podem acreditar. Há coisas que eu teria a dizer, mas não sei que efeitos elas poderiam provocar. É assim que entendo o que há a dizer, a formular explicitamente sobre essa problemática contratransferencial do analista.

Nesse ponto, vamos nos deter. Há outras questões que ficam em suspenso. Nós as retomaremos na próxima vez.

Respostas às perguntas

Uma intervenção de tipo sugestivo não poderia ser considerada como uma manifestação contratransferencial?
Efetivamente, também há autores que consideram que uma versão contratransferencial típica não é, simplesmente, cometer erros técnicos, mas é fazer intervenções de tipo sugestivo ou de ordem sugestiva. Entenda-se a sugestão como condutas de onipotência ou narcísicas, por parte do analista. Por exemplo, a sugestão na qual o analista toma o lugar, exerce o poder que a consciência e a autoridade atribuídas pelo analisando lhe confiam. Efetivamente, pode-se considerar que as intervenções de tipo sugestão são reações contratransferenciais, desde que ele as faça, que ele proceda sem saber o que faz. Porque a questão é a seguinte. O termo "resistência" quer dizer: não saber o que se faz. A resistência comporta sempre uma ignorância; mais exatamente, há resistência de contratransferência quando se trata de uma resistência de tipo pré-consciente, ao passo que a resistência da transferência é fundamentalmente uma resistência inconsciente. Uma resistência pré-consciente de contratransferência seria uma sugestão que o analista faz sem saber que ela é operante.

Aliás, a esse respeito existem questões interessantes para distinguir, fazer a diferença, através da sugestão, entre psicoterapia e psicanálise, por exemplo.

*
* *

VI
A contratransferência e o lugar do analista

Esta noite, vamos concluir o estudo do problema da contratransferência, abordando mais diretamente a questão do lugar do analista, o que nos levará naturalmente ao tema da interpretação.

Ao preparar o seminário de hoje, principalmente a segunda parte, tive a impressão de que me perguntava constantemente se conseguiria lhes transmitir, expressando da maneira mais próxima à minha prática e de modo a que os presentes possam fazer sua, essa questão do lugar do analista.

Pensando nisso, encontrei uma citação de Heidegger, que exprime muito bem esse sentimento: "Entretanto, aquele que ensina deve algumas vezes falar alto, até gritar e gritar, mesmo quando se trata de ensinar algo tão silencioso como o pensamento." Nietzsche, um dos homens mais tranqüilos e mais inclinados à timidez, conhecia bem essa necessidade. Ele experimentou todo o sofrimento de ser obrigado a gritar. E Heidegger termina dizendo: "Por um lado, é preciso gritar se quisermos que os homens — eu diria os analistas — despertem; por outro lado, — e essa era a minha preocupação hoje à tarde — não é gritando que o pensamento pode dizer o que pensa."

É uma frase formidável de Heidegger, que diz bem o sentimento que eu tive ao preparar o seminário de hoje. Logo compreenderão por que eu tive essa preocupação.

Em resumo

Na última vez, assinalamos a nossa divergência em relação a certas teorias, especialmente as teorias anglo-saxônicas, que conceitualizam a contratransferência como um conjunto muito geral, no qual é incluída a totalidade das atitudes, dos comportamentos conscientes e inconscientes do analista para com o seu paciente.

Algumas delas são também teorias que aconselham a utilização dessas manifestações contratransferenciais como material a comunicar ao analisando, à maneira de interpretação.

Nossa posição é muito diferente.

Primeiro, não consideramos a contratransferência no eixo da relação analista-analisando, mas segundo outro eixo, muito mais problemático: a relação do analista com o seu lugar.

Depois, no nosso último encontro, consideramos que essas manifestações contratransferenciais não eram globais, mas nitidamente específicas e determinadas, e que também não eram, necessariamente, a fonte a partir da qual podiam nascer uma interpretação ou uma intervenção psicanalítica.

Assim, definimos a contratransferência como o conjunto das produções imaginárias do analista, que o impedem de ocupar o seu lugar de objeto, "de objeto atrator" na transferência. Digo "lugar do objeto atrator", mas Lacan teria pronunciado a fórmula, o sintagma, a expressão "lugar do desejo do analista". Ao invés de dizer "lugar do objeto atraente", Lacan teria dito "desejo do analista", expressão que ele utilizou constantemente ao longo da sua obra, durante vinte anos, e que nunca abandonou.

Como se pode definir o desejo do analista? "Desejo do analista" — insisto sempre — deve ser compreendido não no sentido de um desejo experimentado pelo psicanalista, mas no sentido de um lugar, um local, uma região, um ponto singular e impessoal no seio da estrutura da relação analítica.

O desejo do analista é um ponto singular, é um local, um ponto que qualificaremos de atrator. Se pensamos na sua função de atrator, é um ponto que causa, atrai, suscita, provoca o desenvolvimento da transferência, da neurose de transferência. Um ponto que qualificaremos, hoje, de **"ponto de mira"**.

Trata-se precisamente de um ponto de mira, se o pensamos como o lugar em que o analista deve se situar para ser capaz de operar como analista. Dizemos mesmo: o lugar do analista é objeto atrator, se se deve pensá-lo como a causa da transferência. Logo, "desejo do analista", retomando a expressão de Lacan, ou "ponto de mira", se quisermos pensá-lo como o lugar aonde o analista deve ir, o ângulo no qual ele deve se situar, se quiser ser capaz de operar.

O que é operar? É interpretar, perceber e causar o inconsciente.

Mas de que natureza é esse lugar do analista, para que o seu acesso desperte nele reações contratransferenciais? Por que há contratransferência? Por que o lugar do analista é sentido como um perigo, cuja proximidade faz os obstáculos se erguerem? Antes de responder, quero lembrar, esquematicamente, as três classes de manifestações contratransferenciais. A primeira é **o saber**, considerado como sendo a compreensão do sentido das manifestações do analisando, a apreensão de um sentido segundo certos objetivos que o analista fixa, objetivos teóricos, de cura, de estudo. Segundo esses objetivos, ele aplica escolhas, elege, classifica o material, escuta certas palavras, deixa outras, segundo um certo saber.

A segunda classe das manifestações contratransferenciais é **a paixão**, isto é, o amor ou o ódio, a atração erótica ou a aversão sensual, por exemplo o odor. Há analisandos de quem não gostamos, por seu odor, sua postura, sua presença. Há reações sensíveis, sensuais, no analista, que consideramos como fazendo parte das reações contratransferenciais.

E, finalmente, **a angústia**, que enfatizamos na última vez, como sendo a expressão mais franca, mais pura, diríamos até a mais saudável, a mais madura da contratransferência do psicanalista.

Evidentemente, qualquer uma dessas três classes de manifestações, quer se trate do saber, da paixão ou da angústia, é não apenas um obstáculo ao acesso do analista a esse lugar, mas ao mesmo tempo, é também um anúncio, um signo que indica a sua proximidade.

A errância contratransferencial seria o singno certo da iminência de um perigo, ou antes, o signo do posicionamento do analista no seu lugar? Digo "signo" para explicar que o analista pode pressentir que está no limiar de um acontecimento. Por exemplo, se percebe que está angustiado. Às vezes, ele não percebe, a não ser que perceba que é o analisando que assim se encontra. Na verdade a angústia do analisando não é mais do que a própria angústia do analista que lhe foi transmitida. É mais freqüente reconhecer a nossa própria angústia no outro do que reconhecê-la em nós mesmos, embora acreditemos habitualmente que a angústia é algo que sentimos em nós. Muitas vezes, a angústia do analisando é a angústia do analista, deslocada, situada, projetada no analisando.

A contratransferência é o lugar do analista

Não digo que toda angústia do analisando é o reflexo da angústia do analista, mas digo que, se ele reconhece a sua angústia em si ou se a reconhece no seu analisando, podemos considerar, nesse caso, que essa angústia é o anúncio mais preciso da obturação do seu lugar, e ao mesmo tempo, da abertura desse lugar. Se um psicanalista pode perceber que está angustiado, isso significa que está a caminho de ocupar o seu lugar. Em outros termos, atribuo à contratransferência não só a função de ser um obstáculo, mas também a função de ser o signo da proximidade do acesso ao lugar do analista.

Essas três classes de manifestações contratransferenciais são distintas de outras manifestações possíveis no analista, como sentimentos, idéias, imagens ou impressões experimentadas conscientemente. Quero dizer que, se temos que classificar tudo o que um analista experimenta ou vive durante um tratamento, diremos que há três tipos de manifestações gerais: manifestações conscientes, manifestações contratransferenciais e manifestações específicas, devidas ao estado muito particular no qual se encontra o analista, quando está efetivamente posicionado. É desse estado particular, quando o analista está efetivamente em posição de analista, que vou tratar agora.

A contratransferência como superinvestimento de i(a)

Antes gostaria de acrescentar que as manifestações contratransferenciais se caracterizam por duas coisas. Até agora, dissemos que são obstáculos. São obstáculos que, ao mesmo tempo, anunciam a proximidade do lugar ou a ocupação do lugar. Mas essas reações se caracterizam ainda por dois elementos. Primeiramente, trata-se de manifestações pré-conscientes, no sentido em que o terapeuta pode, em princípio, desvelá-las por si mesmo, sem a intervenção de nenhuma interpretação. Como dissemos na última vez, diante da contratransferência, o analista está irremediavelmente só. Em segundo lugar, o traço específico das manifestações contratransferenciais consiste na sua qualidade imaginária. Quer se trate da angústia, do saber ou da paixão, a contratransferência é a expressão de um superinvestimento libidinal da imagem narcísica ou, mais exatamente, de um superinvestimento da imagem especular constitutiva do Eu do analista.

É o que Lacan escreve com a fórmula, o sinal algébrico i(a). "i" é a imagem que cerca o objeto *a*. É a imagem que é superinvestida no caso das manifestações contratransferenciais, quer se trate da angústia, da paixão ou do saber.

O lugar do analista

Por que a contratransferência consiste nessa sobrecarga de libido, contida na imagem? Por que o saber, o amor ou a angústia são falicizados, libidinalizados? Por que são superinvestidos? Por que a contratransferência é o superinvestimento de i(a)?

Entramos agora no domínio que me parece o mais importante.

Reencontramos aqui a pergunta feita há pouco: por que ocupar o seu lugar é tão raro e tão difícil para o analista? Por que esse lugar é sentido consciente ou inconscientemente como um perigo? Qual é pois esse lugar? O que faz com que ele seja temido, que seja tão penoso chegar a ele?

Nas declarações que se seguirão, não tratarei de fazer certas distinções, que aliás fizemos muito rigorosamente, como por exemplo, a diferença entre inconsciente e gozo. Não trataremos especificamente disso hoje, mas poderemos retomar esse ponto durante o debate.

Tentando responder a essas perguntas, desejo propor uma tese, que necessita ser verificada na nossa prática e corroborada teoricamente. É uma tese ligada a uma proposição mais geral, que muitos conhecem e que eu chamo de "formação do objeto *a*". Eis a pergunta: por que o lugar do analista é tão raro, de acesso tão difícil? Por que ele é sentido como um perigo?

Mudança de realidade

Eis a minha resposta: as reações contratransferenciais, isto é, o superinvestimento do Eu, aparecem quando o psicanalista está na margem, a ponto de dar um salto, de realizar um deslocamento brusco e fugaz entre uma realidade psíquica de dominância imaginária, organizada em torno do Eu, sob a égide da referência fálica, por um lado, e por outro lado, uma outra realidade psíquica fora do Eu, ao lado do Eu, uma realidade de dominância pulsional, de dominância de Gozo, de dominância do objeto *a*. É por isso que a situamos como sendo uma formação do objeto *a*. Trata-se de uma realidade psíquica organizada de modo inteiramente diferente da realidade de dominância imaginária, de uma nova realidade psíquica, organizada em torno da ausência da referência fálica. O mecanismo produtor dessa nova realidade é, aqui, a foraclusão. Assim, quando o psicanalista ocupa o seu lugar, a sua realidade psíquica muda e se estrutura como uma outra realidade, sem componente egóico, uma realidade ao lado do Eu, paralela ao Eu, uma realidade para-Eu, e, fazendo um jogo de palavras, coisa que não fazemos habitualmente, ao invés de chamá-la "uma realidade paranóica", nós a chamaremos de uma realidade "para-*moi*-ca", ao lado do Eu.*

O que queremos dizer? Peço-lhes que me acompanhem. Queremos formular, da maneira mais rigorosa, essa conjuntura particular que se ordena quando o psicanalista se conduz como analista. Quais são as condições subjetivas particulares necessárias ao psicanalista para conseguir situar-se no ponto de mira, no ângulo a partir do qual ele poderá ser capaz de escutar, de perceber e de causar o inconsciente do analisando?

O "ponto de mira"

Em que condições subjetivas devemos estar para poder situar-nos no ângulo que nos permitirá sermos capazes de escutar, perceber e causar o inconsciente do analisando? Em que ponto de mira, em que ângulo, em que eixo devemos situar-nos?

Diremos que o ponto de mira no qual o psicanalista deve situar-se para operar é idêntico à sua nova realidade, produzida por foraclusão. Para marcar bem essa identidade entre o "ponto de mira" e a mudança que deve ocorrer nele, assinalaremos uma dupla modificação: um deslocamento de lugar, em seguida, uma mudança de estrutura psíquica. A mudança de estrutura subjetiva é idêntica ao deslocamento para um novo ponto de mira de onde posso me situar para tratar as manifestações do inconsciente do meu analisando. Esse ponto de mira é idêntico à nova realidade no analista, isto é, a que chamo de

---

* O jogo de palavras está na substituição do segmento *noïaque* da palavra *paranoïaque* por *moïque* (= egóico). (N.T.)

"para-móica". Esse ponto, por sua vez, eu o chamo de **"ponto de mira para-*moi*-co"**.

Fazer "silêncio-em-si"

"O analista só está verdadeiramente disponível para a escuta, isto é, o analista só consegue verdadeiramente transformar os derivados inconscientes do seu paciente em uma interpretação ou em uma percepção alucinada com a condição de deixar, abandonar, separar-se do seu Eu, de fazer calar em si as ambigüidades, os enganos e erros do discurso intermediário, para abrir-se enfim à cadeia das palavras verdadeiras." Isso se encontra no texto que recomendei, "Variantes do tratamento-padrão", nos *Escritos*. É preciso pois abandonar o Eu.

Mas como abandonar seu Eu? O senhor diz que é preciso fazer silêncio-em-si. Poderia esclarecer um pouco mais?

Na última vez, empreguei uma expressão que teve um certo eco, pelo menos entre alguns dos presentes. É a expressão "fazer silêncio-em-si". Não encontrei melhor fórmula para dizer o que tenha a dizer e, hoje, retomei-a sob outra forma.

O que significa "fazer silêncio-em-si", a não ser, antes de tudo, negar, abolir o si-mesmo, deixar dissolver-se a imagem especular, o i(a)? A manifestação contratransferencial é uma sobrecarga. "Fazer silêncio-em-si" é uma supressão, um enfraquecimento, um deixar-dissolver a imagem especular i(a). É "fazer silêncio-em-si", negar o si-mesmo, deixar dissolver o i(a) e suprimir, apenas durante o espaço de um segundo, os diversos suportes construtivos do nosso Eu, a saber: o tempo, o espaço, os outros e principalmente toda visada ideal, todo objetivo no horizonte, todo sujeito-suposto-saber que, habitualmente, garante a escolha à qual procedemos quando o psicanalista está sentado em sua poltrona e acredita escutar o seu analisando.

O tempo, o espaço, outrem e toda visada ideal são os componentes constitutivos do Eu que é preciso suprimir, abandonar, durante um momento: o momento de "fazer silêncio-em-si". Fazer silêncio-em-si significa que, espacialmente, estamos fora de nós, exilados do Eu, ou, para retomar o belo título de um livro recente escrito por uma amiga, somos estranhos a nós mesmos. Somos estranhos a nós mesmos, sem com isso estarmos com o outro, meu semelhante, isto é, meu analisando, nem com o Outro, o grande Outro, garante da verdade. Não estamos nem sós nem com os outros. Estamos sem mais ninguém.

E, por estarmos sem mais ninguém, somos objeto. "Sou onde não há Eu." "Sou onde não penso." "Sou onde não há outro, nem pequeno outro, nem grande Outro." Isso, espacialmente. Temporalmente, não temos nenhuma consciência da duração. O lugar do analista, o "fazer-silêncio-em-si", só o ocupamos na brevidade fulgurante de um clarão.

Fazer "silêncio-em-si": lugar do Gozo

Acabo de definir o "fazer silêncio-em-si" pela negativa. Acabo de dizer o que é preciso suprimir, como se o silêncio-em-si, o lugar do analista, o ponto de mira fosse uma região despovoada de imagem e de ruído, uma região desértica e vazia, como se o "silêncio-em-si" fosse o vazio, ao passo que, pelo contrário, trata-se de um lugar inédito, povoado, rico em produções psíquicas novas e condensador de uma grande carga libidinal, que chamamos, em psicanálise, de "Gozo" ou "objeto". É um lugar, um condensador de uma grande carga libidinal, que tem o poder de atrair, de concentrar em torno de si o desenvolvimento da transferência.

O lugar do analista e o seu ser

Existe uma diferença entre ocupar o lugar do objeto e o ser do psicanalista?
Isso me lembra uma frase de Sacha Nacht, psicanalista francês já falecido, que pertencia à Sociedade Psicanalítica de Paris, alguém que muito fez pela psicanálise e que, ao mesmo tempo, tinha uma posição crítica, mutuamente crítica, em relação a Lacan. Muitas afirmações de Nacht foram objeto de críticas severas por parte de Lacan, que o fazia sem mencionar que se tratava de Nacht. Em geral, quando Lacan criticava, não mencionava a pessoa criticada. Nacht tinha uma fórmula que era simples e que foi importante na época. Ele dizia: "O psicanalista não age pelo que pensa, nem pelo que faz, nem pelo que diz. Age pelo que é." Isto é, age pelo seu ser. Um mau leitor de Lacan diria que este era absolutamente contrário a essa fórmula, que a rejeitava completamente. Se observarmos com atenção, minuciosamente, a maneira como Lacan faz o comentário dessa fórmula,

principalmente no seminário sobre a transferência, veremos que ele a critica severamente, mas ao mesmo tempo diz: "Essa fórmula diz uma coisa certa. Ela diz uma coisa certa, mas diz mal, de modo errado." De certa forma, tenho a mesma impressão que Lacan. Creio que há alguma coisa certa, porém mal expressa. Por que? Porque se o analista age pelo seu ser, isto é, pelo que ele é, perdemos toda a riqueza das variações e das particularidades inerentes, intrínsecas à própria experiência analítica. Chegaríamos assim a posições tais que haveria analistas que seriam destinados a ser analistas e outros que não o seriam. Também eu creio nisso, como disse na última vez. Creio que efetivamente, há analistas que são mais aptos para o trabalho da análise do que outros. Mas não é uma questão de ser. É uma questão de conseguir, com o que se é, situar-se no eixo, situar-se no ângulo ao qual se deve chegar, se possível, para perceber, pensar e tratar os derivados inconscientes do paciente. Não se trata de "o que eu sou"; trata-se de "será que o que eu sou me permite abandonar o meu Eu por um instante, e ir a esse lugar?". O que está em jogo na análise não é o ser do analista, é o lugar no qual é preciso que ele se instale. Se ele se instala ali, escuta, percebe e causa o tratamento.

Diferença entre fazer "silêncio-em-si" e ficar sem voz

Fazer silêncio-em-si é também ficar sem voz? Alguém me disse há pouco: "Fazer silêncio-em-si é também impedir a voz?" Se alguém consegue se livrar da impressão do espaço, por exemplo aquela que tenho agora ao lhes falar, se consegue livrar-se das imagens dos outros, se consegue livrar-se do fato de procurar coisas, de dizer a si mesmo que está ali para alguém ou que está ali para alguma coisa específica, para perseguir finalidades, objetivos, se consegue não pensar mais nos colegas que estão aqui, enquanto está sentado na sua poltrona, ou naqueles que estão nos seus consultórios, a comunidade dos analistas, se alguém consegue livrar-se dos ideais analíticos, dos objetivos, das garantias dessa teoria analítica que tentamos, apesar de tudo, construir e confirmar, torná-la rigorosa, se alguém chega então a esse estado particular de escuta que eu chamo "fazer silêncio-em-si", então ele deixará vir uma voz. E a voz que virá será uma voz boa, será uma voz pronta para transformar-se em interpretação.

A propósito do ponto de mira, o sr. não acha que a expressão "mira" evoca o olhar e, por conseguinte, as imagens? Concordo. O ponto de mira pode evocar isso. Tirei a expressão "ponto de mira" da teoria da perspectiva, que estudei durante o meu seminário sobre o olhar, há três anos. Trabalhamos o problema da perspectiva e, efetivamente, há um ângulo de perspectiva, há um ponto em que o sujeito deve se situar para que a perspectiva, o ponto de fuga apareça no horizonte. Se eu me situo mais à esquerda, não há ponto no horizonte; mais à direita, não há ponto no horizonte. Devo situar-me num lugar certo, num certo ponto muito preciso, nesse ângulo, para que haja um ponto de fuga no horizonte. De outra forma, ele não aparece. E foi pensando nisso que utilizei a expressão "ponto de mira". Responderia que, de fato, é por isso que uso uma expressão que me parece mais divertida, mais agradável, e também mais exata: "o ponto para-*moi*-co", para lembrar que, se estamos instalados nesse ponto, há uma conotação paranóica, psicótica.

Também me perguntaram sobre a intuição. Alguém observou: "O que você disse evoca a intuição." Deixo a resposta para o fim da minha exposição, porque, efetivamente, o problema da intuição pode se apresentar de modo mais próximo.

Há pouco, defini o silêncio-em-si pela negativa, como se fosse uma região despovoada, um deserto. E eu disse que não; ao contrário, é um lugar rico, é um lugar pleno, é um lugar condensador de alta carga libidinal. Mas, falando como fiz até agora, tive que deixar insinuar-se um mal-entendido, que agora devo corrigir. Compreendemos que há o analisando e há o Analista, com um A maiúsculo. Aqui, o analisando; ali, o analista. E no entrecruzamento, o lugar do analista.

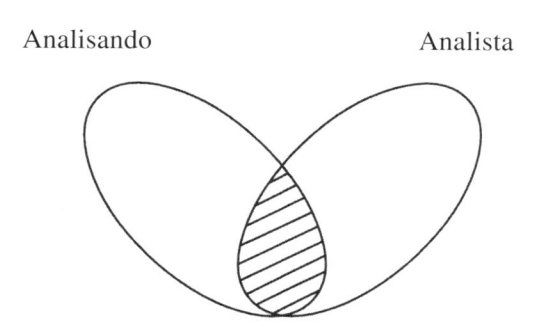

Lugar do desejo do analista ou ponto de mira "para-*moi*-co"

Figura 9

Compreendemos que há de um lado o psicanalista, sua pessoa, seu Eu; e de outro lado, o lugar que lhe é atribuído, lugar que nomeamos de várias maneiras: lugar do objeto atrator, que é a expressão que utilizamos no ano passado, lugar do objeto *a*, que é uma expressão consagrada na teoria lacaniana, ou lugar do desejo do analista, que também é um outro modo lacaniano de nomeá-lo.

Ocupar o seu lugar implica um deslocamento psíquico

E hoje, para marcar bem o deslocamento que se produz, nós o chamamos: "ponto de mira para-móico" a partir de onde o analista pode operar. Logo, lugar que o analista pode ou não ocupar e onde é capaz de receber, acolher o inconsciente e o Gozo do seu analisando. Há um esquema, uma lógica implícita nas nossas declarações sobre esse ponto. Mas na verdade, isso é falso, ou pelo menos não é completamente certo.

Com melhor precisão, esse lugar não é um local. Esse lugar do analista não é um local já ali, à espera de receber um ocupante. Esse lugar se produz quando um analisando diz que um analista faz silêncio-em-si para escutá-lo. Na verdade, o lugar do analista é um produto comum ao analisando e ao analista que emana, que emerge, que surge quando o paciente fala, porque é preciso que ele fale de certa maneira. Surge quando o paciente fala com uma certa fala e quando o analista o ouve fazendo silêncio-em-si, situando-se de uma certa maneira. Com essas duas condições, o lugar do analista se cria. Sou obrigado a distinguir o analista e o lugar, para que aceitemos a idéia de que é necessária uma mudança de lugar e uma mudança das estruturas subjetivas psíquicas. Mas, na verdade, fazer silêncio-em-si, quer dizer mudar em si essa estrutura subjetiva, significa deslocar-se, psiquicamente falando.

Como escutamos o inconsciente?

Se escutamos as palavras do analisando como a expressão de alguém que nos fala, então não o escutamos, nós ouvimos, mas não escutamos absolutamente nada. Então, quando escutamos? Escutamos quando fazemos parte do Gozo veiculado, produzido, implícito nos dizeres do analisando. O analista só pode ouvir e perceber o inconsciente na medida em que, de um modo qualquer, ele já faz parte do inconsciente. Isso é o que importa dizer esta noite. Em resumo, e é aqui que queríamos chegar, é preciso pertencer momentaneamente ao inconsciente para escutar o inconsciente, isto é, para interpretá-lo. É preciso criar o Gozo, fazer parte do Gozo, para perceber o Gozo, isto é, aluciná-lo.

Freud e outros depois dele falaram desse encontro íntimo entre o dito e a escuta do dito, tal como acabo de mencionar. Eles o teorizaram, com a expressão que também marcou data: "comunicação entre inconscientes". Primeiro, Freud a utilizou; muitos outros autores também a utilizaram, por exemplo Mélanie Klein: comunicação entre o inconsciente do paciente e o do analista. Não recuso essa fórmula.

É aqui que encontramos Lacan e me dirijo aos seus leitores. Se perguntarem a um lacaniano que lê mal Lacan o que pensa dessa fórmula, ele lhes dirá: "Lacan discorda completamente". Digo-lhes que, na verdade, como no caso da fórmula de Nacht, Lacan é muito mais moderado, muito mais fino, muito mais elegante e preciso. Ele diz: "Essa fórmula é correta em certas perspectivas e falsa em outras".

Existe um só inconsciente na relação analítica

Sendo assim, vamos repetir: essa experiência de escutar o dito e fazer parte do Gozo veiculado por esse dito, criada por esse dito, escutar o dito fazendo silêncio-em-si, poderia ser formulada com a expressão já consagrada de "comunicação entre inconscientes". Hoje, admitimos que, ao invés de dizer "comunicação entre inconscientes", podemos muito bem admitir que não há transação, não há "passagem", mas "produção comum" de um só inconsciente e de um só Gozo, em jogo na relação analítica. Isso, já afirmei, desenvolvi, demonstrei em outros textos. Não voltarei a esse ponto.

Alguns dos presentes conhecem a tese que eu defendo: não há dois inconscientes em uma análise, há apenas um, que é um inconsciente eventuaral, pois ele se produz por ocasião de um evento. Ele é idêntico à relação transferencial. Hoje, preciso que esse inconsciente único se produz quando o analisando diz, cria o lugar do Gozo e o analista faz silêncio-em-si, situa-se no lugar que lhe é designado, posta-se no ponto de mira para-móico, cria igualmente esse lugar e faz parte dele. Ao invés de dizer "transação, passagem, comunicação entre inconscientes", prefiro enunciar uma fórmula que é, para mim, a frase mais importante que tenho a pronunciar nesta noite: "É preciso pertencer momentaneamente ao inconsciente para escutar o inconsciente. É preciso criar e fazer parte do Gozo para perceber o Gozo." Quero dizer: escutar o inconsciente = interpretar; perceber o Gozo = aluciná-lo. Acabo de distinguir: escutar o Inconsciente e perceber o Gozo. Mas, de fato, se há verdadeiramente essa pertinência do analista ao Inconsciente ou ao Gozo, o fato de ter escutado e de ter percebido, o fato de ter ouvido e ter visto são a mesma coisa. Escutar e olhar, nessas condições precisas, nesse momento preciso, são coisas idênticas. Não há diferença.

Dor e luto

Ora, essa pertinência do analista à dimensão do Inconsciente ou à dimensão do Gozo implica várias coisas: primeiro, uma dor, e depois, um luto.

Uma dor e um luto que a contratransferência tenta evitar como o perigo pressentido pelo analista sob a forma de um saber, de uma paixão ou de uma angústia. Que dor e que luto? A dor, nem sempre vivida ou sentida, é provocada pela violência de um remanejamento foraclusivo da realidade psíquica. Essa mudança de ponto de mira causa dor porque implica uma mudança de realidade psíquica, uma violência exercida contra a minha realidade. E depois, há o luto. Mas que luto? O luto de perder momentaneamente a imagem especular constitutiva do Eu, isto é, o luto de esquecer o Eu. Lacan e outros autores muitas vezes compararam o desejo do analista, isto é, o lugar do analista, e o luto. Eu diria que essa comparação é correta, com a condição de compreendê-lo, pelo menos neste momento, como o luto do Eu. O desejo do analista pode estar centrado em torno do luto do Eu. Essa comparação também pode se apresentar em termos de limite. Quero dizer que, quando o analista se instala nesse ponto de mira para-móico, nesse lugar da disponibilidade, da disposição, da posição correta, ele se impõe uma relação diferente com o limite. Não há mais limite dentro/fora, interior/exterior, antes/depois, mas há um outro limite, um limite entre o "nós" e o real. É o "nós" e o enigma do real. Em resumo, "fazer silêncio-em-si" significa que o psicanalista se dobra, aceita, admite verdadeiramente, sinceramente, docilmente, está convencido, não mentalmente, não racionalmente, mas psiquicamente, de que o limite da experiência analítica é realmente um mistério, é realmente um enigma com o qual ele deve contar, se quiser trabalhar como analista.

Antes de terminar, desejo explicitar e insistir em certos aspectos deixados na sombra, em minhas colocações, e chegar a dois exemplos.

Dissemos que o lugar do analista só se constrói, só se cria, só se produz com a condição de que haja uma emissão, um dito por parte do analisando e um fazer silêncio-em-si do analista. Mas acontece algumas vezes que esse "silêncio-em-si" seja o resultado de uma concentração, de uma intensificação voluntária por parte do analista para chegar a isso e, outras vezes, ao contrário, é espontâneo.

Se é voluntário por parte do analista, eu desejaria que esse "silêncio-em-si" fosse entendido como o lugar de uma expectativa ativa, o lugar da expectativa. Não se deve confundir uma espera com a idéia de uma expectativa, no sentido de procurar uma promessa, de atingir uma finalidade. Uma expectativa que também não se deve confundir com um temor, no sentido de ter medo, de temer, de uma ameaça que se dirige contra nós. Também não se deve confundi-la com uma espera passiva, niilista. Esperar, ser, fazer silêncio-em-si significa procurar o objeto de todos os lados, procurar com o olhar o que ainda não foi percebido. Procurar esse não-percebido que ainda se oculta. Ou então, se pensarmos na audição: procurar no dito do analisando a materialidade erógena da voz que sustenta o seu dizer. Insisto, mas esse lugar de expectativa, esse lugar de "fazer silêncio-em-si", como uma intensificação voluntária, ocorre e é possível.

Isso depende de muitos fatores. Isso depende da formação que o analista teve, da sua análise, depende muito da sua supervisão e do seu exercício, da maneira pela qual se dedica a trabalhar nesse estado de espírito, com essa visão das coisas, essa maneira de conceber a escuta do inconsciente.

O analista é propelido e desarmado

Algumas vezes, o analista é forçado, propelido, literalmente propelido, forçado contra a sua vontade ou violentamente levado a ocupar esse lugar. Nesse caso, subitamente, o analista se ouve dizer ao analisando uma palavra que vai além, que ultrapassa o contexto do relato explícito do analisando. Ou ainda, ele experimenta uma percepção visual errática, o que se poderia chamar de intuição visual. Mas nesse caso, não é nítido; o analista fica profundamente surpreendido. Não é a surpresa da emergência de uma formação do inconsciente. Não é a surpresa de um lapso. É mais que uma surpresa. Ele fica desarmado. Logo, ou ele tenta chegar a esse estado, a esse ponto de mira de fazer silêncio-em-si, a esse ponto de mira para-móico, ou ele é empurrado.

Tenho dois exemplos: um caso em que o analista deve se forçar, ou antes em que o analista deveria se forçar, e outro caso, extraído da literatura, no qual Rilke descreve uma experiência que se impôs a ele, uma experiência visual.

Exemplo clínico: uma fantasia de gravidez num analista homem

Tomemos o caso de um analista em supervisão que vem me ver para me falar de uma mãe, que o consulta depois de um drama: perdeu o seu filho, alguns meses depois do nascimento, pelo que se chama de morte súbita do lactente. Essa mulher está em análise há três anos. Naturalmente, no seu discurso, aparece várias vezes o problema da culpa. Estamos num período do tratamento em que essa mulher deseja ter um segundo filho. E ela tem dúvidas a esse respeito: ter ou não um segundo filho. Se tivesse outro filho, esse segundo filho mataria uma segunda vez o filho já morto. E se esse segundo filho nascesse, não só mataria o filho morto, mas ela própria também o mataria uma segunda vez.

O analista me relata uma sessão durante a qual ele lhe enunciou uma interpretação que ambos admitimos como sendo uma interpretação imprópria. Era um erro. Era uma interpretação imprópria, que a paciente recusou ou diante da qual mostrou uma profunda indiferença.

Pensando na fantasia da paciente, desejando ter um segundo filho que não deveria existir, para não ter que apagar a lembrança do primeiro bebê morto, do lactente morto, o analista lhe disse que, afinal, o seu desejo, diante dessa alternativa, era querer ficar eternamente grávida, querer guardar uma criança no ventre, não dá-la à luz, não fazê-la nascer. Em supervisão, o analista me diz: "Mas tenho a sensação de que isso não estava no lugar, não correspondia, de que a minha palavra deslizava." E concluímos que essa interpretação era uma interpretação "postiça". Discutindo com o analista, percebo que era postiça porque o analista não sabia. Não sabia, no sentido em que não estava no ponto de mira para-móico. Não sabia o que é, para uma mulher, ter um filho no ventre. Naturalmente, trata-se de um analista homem.

Um analista homem pode saber o que sente uma mulher, quando tem um filho no ventre? É possível que ele sinta, que saiba? Não sei. Direi que ele poderia saber, se lhe ocorresse, ao escutar a sua paciente, talvez não necessariamente durante aquela sessão, mas se lhe ocorresse fazer silêncio-em-si e sentir o útero cheio de uma mulher, senti-lo não no seu corpo, mas senti-lo na cabeça, nos olhos, nos ouvidos, como se fosse a cabeça que experimentasse psiquicamente a sensação corporal de estar grávida e ficar assim por toda a eternidade.

Digo: é possível, mas não é certo. De qualquer forma, eu lhe sugeri, e trabalhamos isso juntos, que se exercitasse, treinasse, tentasse posicionar-se nesse lugar, no qual poderia se esforçar para que a sua realidade psíquica trabalhasse até conseguir essa percepção visual, sonora, mental, pouco importa, daquilo que é a sensação física de uma mulher grávida.

Poderia ocorrer que, se o analista homem chegasse a esse lugar, não seria essa interpretação que ele teria feito. Se me perguntarem que interpretação ele teria feito, não sei. Seria preciso, para que eu pudesse responder, que eu escutasse essa paciente, tentando ficar nesse estado, nas condições de que falei, hoje.

Exemplo tirado da literatura: uma percepção pouco comum

Último exemplo, significativo. Não é um exemplo clínico, mas penso que é muito belo e principalmente muito bem escrito. Trata-se de Rilke, autor de que gosto muito. Ele lembra, nos *Cadernos de Malte Laurids Brigge*, um diário, que está em Paris, passeia pelas ruas e descreve o que lhe acontece. Fala de um rosto de modo formidável. Há dois autores que falam do rosto como ninguém: Rilke e Lévinas. É extraordinária a maneira como falam disso. A percepção do rosto é essencial, quando vamos chamar um paciente na sala de espera. O rosto, nesse instante, quando você chama um paciente na sala de espera, a percepção desse rosto equivale a toda uma sessão.

Rilke diz que há rostos que se conservam e rostos que mudam. Ele diz: "Também acontece que o cão use rostos." Por que não? Um rosto é um rosto. E diz: "Outras pessoas mudam de rosto com uma rapidez inquietante. Experimentam uns depois dos outros e os gastam. Parece que terão rostos para sempre, porém mal chegam aos quarenta anos — esse já é o último. Essa descoberta comporta, evidentemente, a sua tragédia. Eles não estão habituados a poupar os rostos. O último já está gasto ao fim de oito dias, esburacado em alguns lugares, fino como papel. E depois, pouco a pouco, aparece então o forro, o não-rosto, e eles saem com isso."

A cena de que desejo falar é a seguinte: "Mas a mulher tinha caído inteiramente sobre si mesma, para a frente, nas suas mãos. Foi na esquina da rua Notre Dame des Champs. Logo que a vi, comecei a andar com cuidado. Quando os pobres refletem, não se deve perturbá-los. Talvez eles acabem encontrando o que procuram. A rua Notre Dame des Champs estava vazia. Esse vazio perturbava, retirava os meus passos sob os meus pés e repercutia com eles, estalava do outro lado da rua, como tamancos. A mulher se amedrontou, abandonando-se depressa demais, violentamente demais, de modo que seu rosto ficou nas duas mãos. Eu podia ver a sua forma oca. Custou-me um esforço inaudito fixar essas mãos, não olhar o que fora abandonado. Tremi ao ver assim um rosto pelo seu interior." E termina: "Mas tive ainda mais medo da cabeça nua, esfolada, sem rosto."

Não sei se observaram, mas é extraordinário ver a percepção desse homem. É preciso um esforço, uma violência, para perceber isso. Ele não está louco. É uma arte escrever como ele, e principalmente acho que não se trata da arte de ter escrito, nem do estilo para escrever, mas da arte de ter percebido. Eu diria que ele escreve assim porque é capaz de perceber assim. Eis o exemplo do que é uma percepção na qual o analista seria empurrado, conduzido, propelido, levado a perceber, a tocar, a receber, a acolher, a tratar o inconsciente e o Gozo do analisando. É isso o que eu tinha a dizer hoje.

*
* *

Respostas às perguntas

Quando o sr. diz que o analista deve se pôr no lugar do objeto, isso não é um tanto imperativo demais?
É exatamente isso e é uma das minhas preocupações constantes. Sempre que posso, digo isso. É a preocupação permanente de conhecer

os efeitos que pode ter aquilo que dizemos aqui, não só no seminário, mas até em toda fala relativamente pública. E, quando eu dizia que, ao preparar este seminário, tive muita dificuldade de encontrar a maneira mais apropriada, mais certa para lhes transmitir, minha dificuldade não era dizer o que tinha na cabeça, mas de situar-me no lugar do meu interlocutor, para temperar os efeitos que essa fala poderia ter. Isso é para que saibam que, efetivamente, tal era a minha preocupação.

Segunda observação: acontece um fenômeno extraordinário — de qualquer forma, pode ser uma dificuldade — quando queremos definir o mais exatamente possível, o mais rigorosamente possível, o lugar do analista, não nos contentando, como eu mesmo fiz em outros tempos, com a teoria lacaniana. Lacan disse mil vezes: o analista deve ocupar o lugar do semblante do objeto *a*. Eu próprio, numa época em que nem sempre se ouvia isso, dizia o mesmo. Agora, está claro, superclaro, mas nem sempre se sabe o que quer dizer "estar no lugar do objeto *a*".

Minha preocupação, hoje — todo o desenvolvimento da contratransferência vai nesse sentido — era precisar o mais rigorosamente possível em que consiste exatamente essa expressão: "situar-se no lugar do objeto". E acontece que, pela preocupação, pelo tom, pelo impulso da minha explicação ou da minha posição, pelo movimento da minha exposição, acontece às vezes que haja um tom um tanto imperativo. O analista "deve" situar-se no lugar de. Compreendo, talvez a expressão não esteja muito adequada. Mas, por outro lado, é difícil. Como falar e ser, ao mesmo tempo, muito preciso? Talvez seja uma elegância na exposição que ainda não tenho, mas que acredito possível. Se eu escrevesse este texto, seria muito mais moderado. Talvez eu não escrevesse "ele deve". Mas a sua intervenção é boa, porque me permite precisar. Aliás, eu já tinha feito alusão a isso na última vez, ao dizer: "Tenho coisas a dizer e as digo. Graças a Deus, nem todo mundo as ouve. Os que as escutam são aqueles que já ouviram o que digo. Quem escuta já ouviu o que eu digo." Ouviu como? Ouviu aproximativamente, experimentou fragilmente, ouviu fugazmente. É algo aproximativo. Aconteceu alguma coisa que fez com que a minha fala o nomeasse. Afinal, uma fala como a de um seminário é o fato de nomear o que já existe. É uma enorme dificuldade. É também — por que não pronunciar a palavra? — uma enorme responsabilidade e, ao mesmo tempo, há uma profunda modéstia, uma profunda humildade em fazê-lo. É uma mistura difícil, um equilíbrio difícil entre essas três coisas, pois nomear faz existir o que já existia. Foi por isso que, na última vez, eu disse: "continuo, devo ir à frente". Para os que ouvem mal, talvez seja o momento. Esperemos que eles consigam ouvir de outra forma. E aqueles que ouvem bem, é porque já ouviram o que é dito.

Aliás, isso também ocorre com o analisando. O analisando não está pronto para ouvir uma interpretação, exceto se já ouviu o Outro dizendo-lhe. O analista apenas materializa com sons e palavras o que o outro, em silêncio, sem saber, já se tinha dito. Eis o que posso dizer a respeito do tema da interpretação, que será o do próximo seminário.

Vou tentar responder à outra pergunta, referente a essa expressão que considero como a melhor: uma intensificação voluntária de "fazer silêncio-em-si". Nessa intensificação voluntária, nessa instalação voluntária, forçada, de situar-se no ponto para-móico, paranóico, é como se o analista criasse esse estado, como se forçasse esse mecanismo foraclusivo. Não posso ir mais longe. Falar de mecanismo foraclusivo implica que algo se produza pelo resultado de um desencadeador, pois, como dissemos, a psicose, e especialmente a foraclusão, é apenas a resposta a um apelo.

Pode-se dizer que o analisando fala de tal modo que apela. Mas aí seria espontâneo. Creio que é o caso de Rilke. Rilke anda pela rua Notre Dame des Champs em silêncio, ouve um ruído e para ele o apelo é o fato de que a mulher abandona-se violentamente. É esse gesto de erguer, levantar a cabeça que constitui o apelo, que faz com que Rilke, num instante, perceba o que percebe.

O caso é diferente quando digo àquele analista em supervisão: "Faça um esforço para conceber, para alucinar, para perceber a sensação física de um útero grávido." Aqui, é como se disséssemos que forçávamos a constituição de uma realidade produzida por foraclusão. Talvez seja a fala do analisando, talvez seja uma fala nele, que ele tenta compreender, que o conduz eventualmente a essa posição. Ao contrário, um Supereu não deve ser constituído; é preciso que seja uma advertência moderada. A instalação nesse lugar, só é possível raras vezes. É muito difícil. Para os analistas, é necessária uma certa prática, uma certa maturidade na experiência, para conhecer e sentir essa maneira de tratar o inconsciente.

É a única maneira? É a melhor maneira de falar de modo Superegóico?

Há um excelente texto, que trabalhamos nos seminários restritos, e que alguns colegas apresentaram. É um texto de Annie Reich, em que ela faz toda uma revisão do conceito de contratransferência. Veremos que, retomando o conjunto dos textos dos analistas, muitos deles falam e insistem nesse tipo de percepção, que eles chamam de "comunicação dos inconscientes", "empatia", "insight"; cada um dá um nome diferente. Penso que todos esses termos conservam um lado anglo-saxônico, norte-americano, que faz com que eles soem um pouco frios, técnicos. Não se vê o analista funcionar. Quero dizer com isso que é uma experiência rara e difícil. É preciso que ela advenha, mas é necessário um exercício, um treinamento, uma prática. Particularmente, acho que é uma prática salutar da escuta dos pacientes ter que transformar as palavras, dedicar-se a transformar as falas, pondo-se no estado que chamo de "fazer silêncio-em-si", na falta de termo melhor.

Isso é a representação figurada do Gozo comum a ambos. O Gozo é, em bom lacaniano, ex-centrado como todo objeto. O objeto *a* é ex-centrado. É exterior ao vínculo. É para esse lugar que o analista deve ir, a fim de poder interpretar e perceber. Isso quer dizer que, se o analista faz "silêncio-em-si", cria o lugar do objeto. Se o analisando diz, ele "cria o lugar do objeto". E se o analista diz, ouve, escuta, como definimos, fazendo "silêncio-em-si", ele constitui, de maneira compartilhada, o lugar de um objeto comum. Até aí, tudo bem. O problema começa se o analista interpreta ou percebe como acabo de dizer, interpreta e percebe o Gozo que é o seu próprio Gozo. Isso quer dizer que seria necessário que ele fizesse um círculo que partisse do seu lugar e voltasse ao seu lugar.

*
* *

De fato, o analista escuta, vê, alucina e interpreta. Temos pois um lugar comum produzido pelo dito do analisando e pelo fazer silêncio-em-si do analista. A interpretação é então um retorno do analista ao seu próprio lugar. É algo profundamente único. Esse estado de "fazer silêncio-em-si" está mais próximo da psicose do que de toda referência de narcisismo secundário. Estamos mais próximos do auto-erotismo do que do narcisismo secundário.

VII
A *interpretação*

Hoje, vamos continuar o nosso percurso a partir das hipóteses defendidas no meu seminário precedente, a fim de abordar com mais precisão o problema da interpretação psicanalítica.

Digamos inicialmente que, entre todas as modalidades de ação do psicanalista, a interpretação é a única intervenção capaz de provocar uma mudança estrutural na vida do analisando e, naturalmente, na vida da própria relação analítica.

O que a interpretação não é

A interpretação, tal como a entendemos, no prolongamento da concepção lacaniana, não se confunde com as intervenções do tipo observações ou precisões que o psicanalista pode dar ao paciente, relativas ao procedimento psicanalítico ou ao quadro analítico. Ela também não se confunde com as chamadas construções ou reconstruções dos aspectos da história do analisando. A interpretação não se confunde com as perguntas que o analista pode fazer ao analisando, visando elucidar o material. A interpretação de que falamos também não se confunde com os confrontos, deduções, conclusões tiradas pelo analista, que mostram ao paciente as seqüências repetitivas da sua vida. A interpretação também não se confunde — continuo — com a parada de uma sessão, nem com a pontuação do relato do analisando e, menos ainda, com os jogos homofônicos das palavras, ao contrário do que acreditam muitas pessoas. Com efeito, muitas pessoas pensam que os lacanianos consideram a interpretação como um jogo homofônico de palavras.

A interpretação psicanalítica não se confunde com nenhuma de todas essas intervenções verbais e mesmo não-verbais e, entretanto, ela pode, a rigor, adotar a figura de qualquer uma dessas variantes. Quero dizer que uma interpretação pode ser indiferentemente uma parada da sessão, uma pontuação, uma pergunta, um esclarecimento. Ela pode ser uma palavra, qualquer uma, ela pode ser um gesto do analista, qualquer um, porque o que importa para definir uma interpretação não é a sua forma.

Definição da interpretação

O que define uma interpretação não é a sua apresentação, não é a função instrumental que ela cumpre, não é o sentido que ela veicula. O que define uma interpretação é a sua efetuação. Quero dizer que ela se define pelas condições nas quais ela se produz no analista e os efeitos que ela gera no analisando.

Como ela se gerou e o que ela gera? De que ela é o efeito, e quais são os seus efeitos? Visto sob esse ângulo, o valor semântico, quero dizer, o sentido que ela veicula, o valor expressivo, a figura que ela adota e o valor instrumental, o fim a atingir, a esclarecer, a explicar, todos esses são valores importantes. É verdade, para muitos analistas. Muitas correntes analíticas atuais se referem à idéia da interpretação, do ponto de vista do sentido, do ponto de vista da forma. Esses valores, a meu ver, são menos importantes que o valor significante da interpretação.

O que quer dizer valor significante? Isso quer dizer muita coisa, mas antes de tudo que a interpretação só importa, em uma análise, como um elemento em uma estrutura, à maneira de uma partícula atômica no seio de um sistema físico, uma partícula destacada de uma conjuntura de geração, que tem uma trajetória, que tem um ponto de impacto e que é capaz de provocar um efeito de mudança radical na consistência de uma rede.

A interpretação significante

Vamos retomar a concepção de interpretação enquanto significante. Essa concepção, nós não a escolhemos. Não escolhemos a teoria que nos convém. Se ela nos convém, é porque temos com a teoria um **engajamento de ser** e não um engajamento de pensamento. A teoria da interpretação, como elemento significante, não só se confirma nas provas da prática cotidiana, não só ela está em nós, mas determina uma certa maneira de trabalhar com nossos pacientes e uma certa maneira de interpretar o que acontece com eles.

Vamos ver isso com um breve exemplo clínico que vou relatar daqui a pouco, e nessa perspectiva gostaria de considerar três aspectos essenciais da interpretação, três particularidades da interpretação significante. Como uma interpretação é gerada no analista? Por meio de que mecanismo ela opera? O que ela gera no analisando?

São esses os três temas, os três capítulos que vamos abordar na segunda parte, pois antes gostaria de propor um exemplo clínico precedido de algumas observações.

Não definimos a interpretação pelo seu conteúdo. Não a definimos pela sua apresentação nem por sua função, mas não é menos verdade que a interpretação, como elemento significante, reveste certos traços bem visíveis, que lhe são característicos. Esses traços são, antes, bons indicadores descritivos, que deixam presumir que tal intervenção do analista tem todas as possibilidades — mas nem assim é certo — de ser uma interpretação. São indicadores referentes ao aparecimento da interpretação no analista e ao momento de recepção pelo analisando.

Logo, há dois tipos de traços: os que marcam o aparecimento da interpretação no analista e os que marcam a acolhida, a recepção pelo analisando. Utilizo a palavra "indicador" para não induzir o mal-entendido de pensar que esses traços definem a interpretação. Eles não a definem, repito; eles apenas a caracterizam. Para definir uma interpretação — insisto mais uma vez — temos apenas um único critério claro, o de verificar, de saber como ela foi produzida e que efeito ela acarretou.

Características de uma fala interpretativa

Vejamos os indicadores do aparecimento da interpretação no analista. Quando se dirá que uma palavra, uma fala ou uma intervenção do analista tem uma ressonância de interpretação?

Primeiro, são enunciados curtos, nunca longos, sempre curtos com muito poucas palavras: cinco, seis, dez palavras no máximo. São enunciados bem delimitados. São frases quase inteiras, concretas, que não comportam termos abstratos. Mas, mesmo sendo muito concretos em sua forma, esses enunciados interpretativos comportam entretanto uma ambigüidade que suscita equívoco no analisando. Esses enunciados são desencadeados, na maioria das vezes, no analista, e são provocados por um significante visível nas manifestações do paciente e outras vezes, muito mais raras — é o caso do meu próximo exemplo — esses enunciados que chamamos de interpretação são pronunciados pelo analista sem conexão aparente com o material do analisando. Às vezes, podem ser provocados pelo que chamo de uma micro-hipótese, isto é, o analista tem uma ou duas hipóteses de bolso, uma micro-hipótese que ele trabalhou na supervisão, que ele próprio trabalhou em relação ao paciente e, munido dessas hipóteses, ele está como que em estado de alerta, de sensibilidade. Voltaremos a esse ponto.

Vamos continuar a caracterizar esses enunciados. Em geral, eles não comportam pronome pessoal, isto é, não se diz "eu". Entre os presentes talvez haja alguns que, como eu, conheceram em certa época as experiências dos analistas kleinianos. Eles utilizam muito o "eu", por exemplo para enunciar a interpretação: "Eu penso", "eu indico", "eu digo" etc... A interpretação de que falo não tem "Eu"; é impessoal.

Esses enunciados não são precedidos por nenhuma intenção calculada, da parte do analista, de provocar uma reação particular no paciente. Pelo contrário, são palavras ditas sem que o analista saiba. Em um momento dado, eu dei esta fórmula: "Quando o analista interpreta, não sabe o que diz." E acrescentei: "Ele pode não saber o que diz, com a condição de que saiba o que faz." São pois palavras que irrompem subitamente no analista, que este pronuncia sem saber. Ele é ultrapassado pelo seu enunciado e entretanto são palavras esperadas, esperadas no contexto da seqüência, da sessão, no momento em que o analista fala e, principalmente, esperadas pelo próprio analisando. Isso significa que o analisando já sabe, inconscientemente, o que o analista vai lhe interpretar. Quero dizer que essas palavras são esperadas, que elas operam onde são esperadas, no momento em que são esperadas e porque são esperadas. Esperadas por quem? Pelo analisando. Na verdade, eu deveria dizer: essas palavras pronunciadas pelo analista são esperadas por uma outra palavra recalcada no analisando.

Se quiséssemos resumir essas características em termos lacanianos, diríamos simplesmente: a interpretação é uma palavra de ordem de um dito pelo grande Outro, esperada pelo grande Outro, sendo o analista apenas o porta-voz, o veículo, o embaixador. Ela deixa o grande Outro, passa pelo canal do analista e se dirige para o grande Outro. São portanto palavras esperadas.

Como dizer a verdade às crianças

Nunca existiria interpretação se aquilo que o analista diz já não estivesse dito pela metade, como diria Lacan, "semi-dito", pela metade, sabido pela metade pelo analisando.

Este não é um exemplo de interpretação, mas é algo muito próximo. Tive uma situação em supervisão, recentemente, em que o terapeuta me falou do caso de uma mãe que proibira ao filho cumprimentar, visitar, encontrar, ver o avô, isto é, o pai de sua mãe, o avô materno. A mãe explicou ao terapeuta que ela proibira isso à criança porque o avô tivera uma relação sexual incestuosa com o primo da criança, isto é, o filho da irmã da mãe. Então, a mãe escandalizada disse à criança: "Você não pode ver o seu avô nunca mais, nunca mais vai atravessar a rua para cumprimentá-lo, nunca mais vai passar por ele, nunca mais vai lhe telefonar, e se ele te der bom-dia, você não vai responder." O analista dessa mãe lhe disse: "Mas a sra. explicou à criança por que lhe proibiu de ver o avô?" A paciente responde:

— "Não, não expliquei nada, não disse nada.
— Mas por que não explicou?
— Como é que vou dizer à criança a verdade dos fatos?"

Então, o terapeuta em supervisão me indagou: "Como se procede nesses casos? A mãe me pede um conselho para abordar essa questão? Como proceder?"

Isso levanta uma questão geral, de que Françoise Dolto falou muito. É o problema de dizer simplesmente esta frase: "dizer a verdade às crianças". É preciso dizer a verdade às crianças? O problema não é dizer a verdade às crianças, o problema é como dizer a verdade às crianças.

Sugeri então a esse terapeuta que considerasse quatro características da verdade ou quatro maneiras de dizer a verdade que, afinal, embora não se trate de uma ciência da análise nem de interpretação, estão próximas desta última. Eis o que eu propus a ele e proponho aos presentes: a verdade que deve ser dita a essa criança deve ser-lhe dita pela mãe se essa verdade é esperada pela criança, isto é, se a criança já sabe alguma coisa sobre isso. Em outros termos, para dizer a verdade a alguém, é preciso que a verdade já lhe diga respeito, efetivamente. O que significa "que já lhe diga respeito efetivamente"? Isso quer dizer que o sujeito conhece essa verdade e que ele faz parte do acontecimento de que se trata. No caso dessa criança, isso é duvidoso, porque não se tratava dela mas de um primo e, além disso, de um primo afastado. Certamente, esse problema afetava não a criança, mas a mãe. Logo, primeiramente, a verdade só deve ser dita se for esperada.

Segunda característica: já que sabemos que a verdade é, por natureza, semi-dita, só existe a metade de uma verdade. Já que a verdade, por natureza, é semi-dita, tentemos transcrevê-la, dizê-la igualmente com essa ambigüidade que lhe é essencial. A verdade não pode ser dita por inteiro. É preciso que ela seja dita com hesitação, com reserva, com moderação, diante deste mito: o que é o verdadeiro?

Em terceiro lugar, a verdade deve ser não apenas semi-dita, com a condição de que seja esperada pelo sujeito, mas além disso, é preciso que ela seja semi-dita em um certo momento, em um certo contexto e com uma certa oportunidade. Não é a mesma coisa, se a mãe diz à criança essa verdade na rua, em casa, num contexto determinado. A verdade deve ser dita em um lugar e em um momento preciso, oportuno.

Em quarto lugar, é preciso que essa verdade seja semi-dita, dita a tempo, quando é esperada, mas, além disso, tentando dizer "nós" ou "a gente". Não é a mesma coisa se a mãe diz: "Quero te dizer uma coisa", ou "Escute, o seu pai e eu, nós conversamos e achamos que..." Esse não é um exemplo muito preciso em relação à interpretação, mas dá uma conotação do lugar, da reserva, da atitude do analista diante da interpretação. Voltarei a esse ponto.

Termino esse episódio com o que eu disse ao terapeuta. Afinal, o problema era que a mãe cometera um erro: ela proibira uma série de coisas ao filho, ela o impedira, por todos os meios, de ver o avô, sem ter falado antes, ela própria, daquilo que a afetava pessoalmente. Ela poderia ter mil outras maneiras de fazer com que a criança sentisse o peso desse acontecimento incestuoso, outras maneiras diferentes daquela que usou. Poderemos voltar a esse exemplo posteriormente, mas ele é colateral ao que tenho a dizer-lhes nesta noite.

Como o analisando recebe a interpretação?

Voltemos aos indicadores, não da emergência da intepretação no analista, mas, desta vez, aos indicadores da recepção, da acolhida da interpretação pelo analisando.

O sinal infalível do impacto da interpretação no analisando é sem dúvida o silêncio. Nesse ponto, a maioria dos práticos, dos teóricos, estão de acordo. Um silêncio que marca a surpresa e, algumas vezes, como afirma Théodor Reik, uma reviravolta, um verdadeiro "choque". O termo "choque" é de Reik. Um "choque" que expressa uma violenta repulsa diante do desconhecido, misturado a um profundo prazer de encontrar o conhecido. O desconhecido sendo essa palavra externa, estranha, inesperada que vem dizer-nos o que já sabíamos: o mais conhecido e íntimo de nós mesmos.

A surpresa diante da interpretação não é a de encontrar o novo, mas de reencontrar o antigo no novo. A surpresa é reencontrar o antigo que já conhecíamos, que nos pertence e que, agora, nos volta de fora, num momento inesperado e através da via externa de um outro, o analista. Silêncio, pois, e depois reviravolta, choque, surpresa.

Freud detecta um outro efeito imediato da interpretação, que tivemos a ocasião de discutir quando da primeira Jornada dos Módulos, quando fizemos uma mesa redonda sobre os problemas de construções em análise. É a convicção com a qual o analisando acolhe a palavra do analista. É uma espécie de convicção cega, que não significa aceitação. Não é que ele esteja convencido porque aceita o sentido daquilo que o analista lhe diz, mas é uma convicção, uma espécie de reconhecimento em ato pelo analisando, como se, na fala e na voz do analista, houvesse uma parte recalcada do analisando. Essa certeza se traduz, muitas vezes, por uma frase pronunciada logo após o silêncio. É uma expressão que Freud detecta no texto "Construções em análise", que se repete quase de modo idêntico na maioria dos pacientes que estão sob o impacto de uma interpretação. Uma expressão como: "Nunca tinha pensado nisso." Outras vezes, essa convicção que Freud observa nos analisandos em conseqüência de uma interpretação se traduz pelo advento de uma alucinação ou, de uma visão muito nítida, "ultraclara", diz ele.

São esses os indicadores de que queria lhes falar. Insisto em que são indicadores; eles não definem a interpretação. Esses indicadores são o que mais se aproxima das características de uma interpretação concebida como uma interpretação significante, isto é, como uma interpretação-elemento, interpretação-partícula.

Exemplo clínico: uma fantasia olfativa

Vamos agora ao exemplo. É um exemplo clínico muito curto. Pensei que não seria possível fazer um seminário sobre a interpretação sem dar uma ilustração. Ela é curta, mas tem a vantagem de nos levar diretamente ao que interessa.

Trata-se de uma mulher solteira, mãe de um menino de seis anos, enurético. O problema com a criança era um dos motivos pelos quais ela procurou o analista. As outras razões eram a sua decisão de casar-se com um estrangeiro, deixar a França dentro de um ano, um ano e meio, e partir para o país do marido. Aceitei então analisá-la, por um tempo limitado. Aliás, gostaria de dizer que essa perspectiva de limite temporal me interessa muito. Muitas vezes pratico esse limite temporal com pacientes que fizeram outros tratamentos anteriormente. Quando recebo esses pacientes, digo-lhes: "Vou aceitá-lo, claro, mas com uma condição: vamos terminar, imperativamente, de qualquer forma, dentro de tal prazo, em tal data, daqui a tantos meses." Em geral, são sempre meses, nunca é mais de um ano. É uma prática que às vezes tenho. Tenho razões para defendê-la e justificá-la. Essa não é uma questão que abordaremos hoje, mas é bom que saibam que quando a paciente me disse: "Vou ter que deixar a França daqui a um ano, um ano e meio", isso me interessou. A situação suscitava em mim o desejo de fazer essa experiência com esse imperativo de tempo.

A seqüência de que vamos falar ocorreu por ocasião de uma das últimas sessões e pouco tempo antes que a paciente partisse para o estrangeiro e se casasse. Durante esse tempo, sua mãe, que morava no interior, lhe fez uma visita de uma semana em Paris, antes que ela partisse definitivamente. E a paciente comentou a sua contrariedade de não poder, afinal, desfrutar a companhia de sua mãe, pois não a suportava.

Foi assim que ela se expressou: "Minha mãe chega à minha casa e, ao fim de algumas horas, eu me irrito e acabamos brigando o tempo todo. Depois, ela vai embora decepcionada e eu fico penalizada e culpada. Devo dizer — ela termina com esta frase — que não consigo suportá-la." Instalou-se então um curto silencio e, logo, sem saber por que e sem a menor hesitação, como que guiado por uma pulsão cega, eu lhe respondi com uma nota de compaixão na voz: "Não é ela que você não suporta, é o cheiro dela."

Seguiu-se um silêncio, durante o qual eu vi a cabeça da paciente fazer um movimento lateral de oscilação sobre o travesseiro do divã, da direita para a esquerda e inversamente. Eu me senti como que desarmado, surpreendido por ouvir-me dizer essa frase. Tive o sentimento de recuar, de me afastar e esperar, perguntando-me se minha intervenção fora oportuna. Não duvidava da verdade do conteúdo, dessa fala em ligação com o odor, duvidava de sua oportunidade. Não esqueçamos: uma verdade só é verdade em tempo oportuno. Assim, eu não duvidava da verdade do conteúdo, mas duvidava da verdade da oportunidade. Nesse momento, ouvi-a dizer: "Não é possível! É verdade, totalmente verdade, sempre soube disso mas não percebia, não percebia e não conseguia dizer isso a mim mesma. Mas como é que você sabe?"

Devo declarar que eu disse isso sem pensar no que ia dizer, nem por que ia dizê-lo. Como me acontece às vezes, eu tinha a impressão de que não era eu, mas algo em mim, que falava.

Reconstrução no a posteriori

Referindo-me ao conjunto da história da paciente, posso perceber agora, com vocês e para este seminário, aquilo que teria provocado a minha interpretação. Devo ter percebido, de maneira inconsciente, que a relação particularmente incestuosa com seu filho enurético era mantida, entre outras coisas, pelo cheiro de urina da calça do menino. Ela própria fora enurética até os doze anos. Devo ter deslocado, inconscientemente, o que sabia sobre o laço olfativo erótico com o filho, para o laço com a sua própria mãe. Agora, posso seguir o fio subterrâneo que resultou na minha interpretação. Por exemplo, esse fio seria assim: paciente enurética, traços mnímicos do seu próprio prazer de sentir o seu cheiro de urina, relação incestuosa com a enurese do filho, fixação do sintoma da criança, sintoma de que falamos muito durante o tratamento. Último elo: formação reativa de desgosto pelo cheiro da mãe da paciente, e, finalmente, desgosto pelo desejo feminino pela sua mãe.

Como vemos, reconstrui tudo isso para hoje. Esse encadeamento parece muito correto ou, pelo menos, razoavelmente correto. Mas, notem bem que, quando eu o comuniquei à paciente em voz alta, não tinha consciência de nenhuma operação lógica qualquer e tampouco nenhum pressuposto teórico. Essa reconstrução, eu a fiz agora, com vocês, ou antes, hoje à tarde, preparando este seminário. Se, de acordo com a lógica, eu tivesse seguido o encadeamento desses significantes, talvez, insisto na palavra "talvez", eu chegasse às mesmas conclusões. Mas então, estou certo de que não teria interpretado, ou pelo menos não teria interpretado como fiz aqui. De qualquer forma, mesmo que tivesse feito esse encadeamento mental e se tivesse seguido esse raciocínio, não teria chegado a esse instante da seqüência, pois uma dedução como essa não pode ocorrer nos poucos segundos durante os quais esse acontecimento, essa seqüência, esse processo psíquico se desenrola.

A fim de abordar agora a primeira pergunta — como a interpretação é gerada no analista? — eu desejaria debruçar-me de novo sobre essa seqüência. O que pode ter ocorrido em mim? Primeiro, como a paciente, eu só encontrava em mim o silêncio. Refiro-me ao silêncio, a esse curto silêncio que se seguiu à palavra "insuportável", quando ela disse "Devo dizer que ela me é insuportável". Houve um curto silêncio depois disso. Mas esse curto silêncio apareceu, pelo menos no que me diz respeito, sobre um fundo de outro estado, o de silêncio-em-si, de que já falamos. Depois desse silêncio, ou nesse silêncio, pausa...

Se puséssemos sob o microscópio esses poucos segundos, o que veríamos então seria a pausa. Produziu-se uma espécie de expectativa, como se algo fosse acontecer. Escutando as suas palavras, desenhou-se em mim uma imagem, uma cena entre as duas mulheres semelhantes, uma jovem, outra mais velha, brigando. Tive essa imagem naquele momento. E depois, nova pausa, novo eco das suas palavras e outra representação visual se formou, mas dessa vez era a imagem do rosto da paciente. Devo dizer que a paciente é uma jovem mulher muito alta, bonita. Sente-se a libido transbordar do seu rosto. É um corpo grande, e até um tanto exuberante. Quando ela entrava no consultório, sentia-se que alguém ocupava, preenchia o espaço. Isso é importante, porque um dia, lhe fiz essa observação. Falávamos do problema da sua relação com os homens e observei-lhe que ela ocupava todo o lugar, todo o espaço. Ela me disse que não podia moderar-se, não podia limitar-se, havia algo que a ultrapassava e, ao mesmo tempo, ela sentia uma profunda fragilidade.

Mas não é disso que quero lhes falar. O que me importa é dar, pelo menos, um certo fundamento ao fato de que tive essa imagem do seu rosto, de um rosto importante. Devo encontrar outras palavras. Como se pode ver, ela continua a operar em mim, neste momento, em relação à imagem do seu rosto. Há um instante de confusão, de eclipse, de ausência, de onde nasce uma voz, essa voz que chamo de **"a voz do olhar"**, que se faz ouvir sob a forma dessa outra voz, a voz sonora, aquela que se ouve agora, quando eu falo. Repito que, naquele momento, não pensava em nenhuma teoria psicanalítica. Limitara-me a dizer o que tinha falado em mim, contra toda lógica, e eu tinha razão.

Termino dizendo que não é habitual que um analista relate o trajeto que o levou a uma dada interpretação do material que se apresenta a ele durante uma sessão. Isso é muito difícil. Tive que fazer muito esforço para escrever, para distinguir os diferentes momentos. Até tive que reconstruir como estava no momento em que o reconstrui, pois, como já dissemos, o paciente de que falamos não tem nada a ver com o paciente que está no divã. Tentei fazer esse percurso, como sabem alguns dos presentes, com o texto "Os olhos de Laura". Tentei de novo esta noite, mas evidentemente são sempre tentativas. Tentativas mais ou menos bem-sucedidas, pois se trata de pegar rapidamente o momento fugidío da emergência, no analista, de uma palavra interpretativa, isto é, de um retorno do recalcado. Acrescento que é bom que seja assim tão difícil, porque isso nos obriga a teorizar, a formalizar e a tentar compreender teoricamente o que é esse processo de geração.

*
* *

Respostas às perguntas

O sr. diz: o analista não sabe o que diz. Tudo bem. Mas poderia explicar o que quer dizer quando afirma que o analista sabe o que faz? Como ele pode sabê-lo? Deve haver intuição nisso, mas uma intuição inconsciente.

Sim, o analista não sabe o que diz, no momento da interpretação. Se admitiram com o exemplo e do ponto de vista teórico, ou pelo menos se me acompanharam nesse caminho de considerá-la como uma interpretação significante, eu dizia: ela parte do outro e chega ao Outro, o grande Outro, sendo o analista apenas um porta-voz, um veículo, um embaixador. Por conseguinte, essa palavra "interpretativa" é uma palavra que o atravessa e que ele diz sem saber o que diz, isto é, ele não tem a noção do alcance do lugar, do destino dessa palavra.

Lacan tem uma frase impressionante, que se encontra nos *Cahiers pour l'Analyse* nº 1, em resposta aos estudantes de filosofia. Os estudantes de filosofia lhe apresentam a questão da interpretação e ele diz: "Se compreendem os efeitos de uma interpretação, então é certo que não é uma interpretação psicanalítica." Lacan repetiu essa idéia em diferentes ocasiões, mas de fato, ali naquele texto, é muito impressionante, pela maneira com a qual ele a expressa.

Logo, o analista não sabe o que diz. Mas o fato de não saber o que diz não significa que ele não saiba em que posição ele se situa, em que momento do tratamento se encontra a sessão na qual ele deve falar.

Lacan define o "saber o que ele faz" por "saber o que domina no discurso". Em outros termos, saber o que domina nesse momento, no laço analítico, é saber em que posição se situa o analista. Para Lacan, havia quatro posições que todos conhecem, a do mestre, a universitária, a histérica e a analítica.

Aqui, ele teria dito: o analista sabe o que faz, isto é, reconhece os movimentos, as variantes, os deslocamentos que se produzem na sua posição. Voltaremos depois a esse ponto.

Só pode haver mudança de estrutura com a interpretação? No início, o sr. disse o contrário!
Disse e afirmo: penso que a interpretação, enquanto significante, como veremos, muda a consistência da estrutura. De qualquer forma, é a hipótese que eu formulo e vou tentar, se não demonstrar, pelo menos aproximar-me dela.

Como age a interpretação em um paciente cuja dimensão narcísica é tal que ele não a suporta, não reconhece essa parte de desconhecido que lhe vem da parte do analista? Pode-se substituir essa interpretação por raciocínios, por um encadeamento lógico ou por explicações?
Isso levanta um problema muito particular. Vamos tomar em consideração os diferentes tipos de interpretação segundo os casos, ou segundo os diferentes momentos de um mesmo tratamento. Penso que

não existe regra fixa para saber como funciona a intepretação em cada um dos pacientes ou em cada uma das estruturas dos pacientes, embora haja abordagens feitas em certos momentos, ou que poderíamos fazer.

Quais são as atitudes do analista que se desenham, em geral, com pacientes fóbicos, em posição subjetiva histérica, em posição subjetiva obsessiva ou em posição subjetiva narcísica? Porém, mais do que responder a essa pergunta, eu gostaria de extrair o essencial da interpretação e mostrar, como digo com esse exemplo clínico, como é gerada a interpretação no analista.

Não falei, nesse caso, do que foram os efeitos produzidos. Aqueles de que falei são apenas os efeitos imediatos, os indicadores imediatos da maneira pela qual a paciente recebeu a interpretação. Isso, eu disse. Mas não falei dos outros efeitos. Nunca conhecerei esses outros efeitos, e não apenas porque a paciente foi embora. Se ela tivesse continuado a análise, eu teria podido reconhecer, efetivamente, outros momentos no tratamento, ligados a esses momentos da interpretação. Mas, dizer exatamente o que são os efeitos dessa interpretação, ou precisar exatamente onde houve uma mudança de consistência das estruturas, é impossível detectar de modo preciso e exato.

Vamos passar agora ao processo de geração. Quando vocês fazem a pergunta "como é gerada a interpretação no analista?", há uma afirmação implícita nessa pergunta: não se preocupem com a maneira pela qual se deve interpretar, não procurem encontrar a boa interpretação, procurem antes o estado, a posição na qual a interpretação é possível.

Se, por ocasião deste ano de seminário sobre a técnica, há uma idéia fundamental que eu desejaria transmitir-lhes, é a seguinte: o jogo da técnica analítica se decide na posição que o analista ocupa, no estado no qual ele se encontra quando age, e não na maneira pela qual ele age. Logo, se quisermos interpretar, é necessário encontrar o estado particular no qual uma interpretação se torna possível. Encontrar esse estado é incomparavelmente mais importante do que chegar a fazer concretamente uma interpretação. O problema da interpretação não reside tanto no que o analista diz, na maneira pela qual o diz e no momento em que o diz, embora tudo isso seja muito importante, como caracterizei há pouco. O essencial é o que nos faz interpretar, o estado em que estamos quando uma interpretação emerge. É isso o essencial.

Que estado é esse? Retomo as formulações do seminário precedente. Eu disse, formulei, propus que havia um duplo deslocamento por parte do analista para a posição, o ponto que chamei "para-móico". Podemos concebê-lo de dois modos: seja um deslocamento espacial em direção à posição para-móica, seja uma mudança, uma permutação de realidade, isto é, passar de uma realidade produzida por recalcamento à instalação numa realidade produzida por foraclusão. Era esse o elemento fundamental. E acrescentei que, quando dessa instalação numa realidade produzida por foraclusão, nesse momento, o analista pertence, momentaneamente, ao inconsciente. Pertence momentaneamente ao inconsciente para poder escutar o inconsciente e faz parte do Gozo para perceber o Gozo.

Eu disse ainda que esse estado — a instalação nesse estado, a permutação das duas realidades, de uma realidade a outra — podia ser obtido seja em resposta a um elemento da parte do analisando, que provoque essa permutação, seja pela intensificação voluntária, por concentração voluntária do analista para chegar a isso.

Esse estado no qual ele interpreta, creio que se pode caracterizá-lo como um estado de consciência muito particular, pois, por um lado, há foraclusão, isto é — é uma expressão freudiana — há abolição do recalcamento, há uma cegueira, um eclipse, uma obscuridade temporária e, correlativamente, há uma passagem para um crescimento agudo, sutil, da consciência.

Eu diria assim: o sistema percepção-consciência, normalmente, habitualmente dirigido para o exterior, é anulado em benefício de um sistema percepção endopsíquica, isto é, voltado, dirigido para o interior. Logo, estado de consciência aguda e, ao mesmo tempo, obscuridade. É então, nesse estado, que se produzem cinco efeitos. Há um estado de consciência, um estado das estruturas, um estado libidinal, um estado de percepção escópica, um estado invocante.

Repito para que compreendam bem: o estado no qual uma interpretação é possível, que caracterizamos pelo "silêncio-em-si", poderia ser decomposto segundo as seguintes etapas:
- um estado de consciência aguda e, ao mesmo tempo, estado obscuro,
- um estado das estruturas,
- um estado libidinal,
- um estado de percepção escópica, visual,
- um estado invocante.

O estado das estruturas significa que houve essa modificação da consistência da realidade, que houve um deslocamento do significante que assegura essa consistência. Esse significante que assegura essa consistência é o significante S_1 na teoria lacaniana. É como se o significante S_1, nesse estado, se tivesse liberado, deslocado livremente.

O estado do gozar libidinal: nesse momento, há uma convergência do campo libidinal do analista com o campo libidinal do analisando. E é S_1, o significante, que assegura a consistência da realidade. As lamelas libidinais de ambos os parceiros. suas lamelas, seus pseudópodes libidinais, se alinham e se cruzam. Efetivamente, estou dizendo que se produz então o objeto *a*. Uma precisão: utilizo a distinção analista-analisando como se houvesse dois parceiros, ao passo que, como é a minha posição, há um só inconsciente, o inconsciente eventual engajado no tratamento. Mas fiz essa distinção por necessidade da demonstração.

Há um estado de percepção escópica, visual. É nessas condições de cruzamento dos campos libidinais que é possível, para o analista, perceber o Gozo. O analista percebe as emissões, as emanações, as lamelas libidinais, quando elas se unem, concordam, expandem-se, convergem e produzem o objeto. E é nesse momento, nesse estado dos campos libidinais de ambos os parceiros em acordo, que o analista ouve essa voz, a voz do olhar analítico, a voz, como diz Lacan falando da paranóia, "a voz que sonoriza o olhar". É então, finalmente, que ela se traduz em interpretação, isto é, em sons, palavras ouvidas que sonorizam as palavras expressas pela voz do olhar.

Por que mecanismos a interpretação age? A interpretação, enquanto significante, opera por intrusão, intromissão. A interpretação tem um ponto de impacto. Ela se refere a um local preciso que é o lugar, desse significante S_1 que assegura a consistência da realidade. A interpretação se introduz no conjunto dos significantes da realidade, ocupando o lugar de S_1. Ela desaloja o antigo significante que se encontrava ali e determina, então, uma nova consistência da realidade. Ela provoca, por um desalojamento e pelo fato de ir ocupar esse lugar, uma permutação de realidade.

Estou dizendo que, com a interpretação, o analista provoca no analisando a mesma permutação de realidade que ele próprio sofreu, para poder dizê-la. E chegamos à seguinte conclusão: o que a interpretação gera no analisando? Respondo: o que a interpretação gera no analisando é a instituição, nele, do mesmo estado, das mesmas condições que aquelas que geraram a interpretação no analista.

Não hesitarei em afirmar que interpretar um analisando equivale, definitivamente, a tentar transmitir-lhe a nossa própria capacidade de interpretar, ou melhor, a tentar ensinar-lhe a encontrar em si o silêncio, o silêncio necessário para que uma fala tão pertinente quanto uma interpretação tenha uma chance de sucesso. Vemos por que toda análise é uma análise didática e por que Lacan considerava, a princípio e em tese, que um tratamento analítico terminado deveria produzir um analista, que praticasse ou não esse trabalho.

Se mudarmos os termos, proporemos isto: o que gera uma interpretação no analisando? Ela ensina o analisando a abolir o recalcamento, a exercer-se em suprimir a ação do recalcamento. E como acontece com o analista, ela lhe ensina a exercer-se no exercício de permutar de realidade, de passar de uma realidade produzida por recalcamento para uma realidade produzida por foraclusão. Através da interpretação, tal como a concebemos, participamos do treinamento do analisando para saber trocar, permutar de realidade psíquica, deslocar seu ponto de consistência e instalar-se, também ele, no ponto para-móico de que falamos na última vez. Em resumo, ela permite ensinar-lhe sem nos darmos conta, sem nenhuma finalidade didática, a exercitar-se em deixar uma realidade e a instalar-se em outra. Enfim, ela permite ensinar-lhe a aceitar permutar várias vezes de nível de realidade psíquica. Cada permutação implica uma abolição do recalcamento e, por conseguinte, um superinvestimento da consciência como consciência aguda.

Teria muitas outras coisas a dizer, mas prefiro parar e esperar suas intervenções e perguntas, seja sobre o exemplo clínico, seja sobre o que acabei de dizer.

A expressão "fazer silêncio-em-si" não é uma expressão lacaniana; por que o sr. inventa um novo termo?
Eu temia uma pergunta como essa, mas só temos as perguntas que nosso inconsciente merece, e isso me parece bom, porque me permite esclarecer o meu ponto de vista.

Como sabem, na outra noite alguém destacou a questão do problema do supereu. É uma corda bamba. É muito difícil poder estar muito próximo de uma fidelidade a si mesmo, ao código, à teoria da nossa comunidade e estar muito perto de uma fidelidade à própria experiência. Existem aí os três supereu. Cada um tem os seus. Eis os três Supereus: minha própria fidelidade a mim mesmo, à minha teoria e à teoria que é a nossa; cada um a seu modo a faz sua e à prova da prática.

Quando preparamos um seminário, quando escrevemos um texto, estamos constantemente submetidos a essas pressões muito fortes. E cada passo novo na língua — ponto de mira para-móico, formação do objeto *a*, silêncio-em-si, um único inconsciente, o inconsciente eventual, o inconsciente igual à transferência etc. — é um passo que se dá, principalmente porque é preciso dá-lo. Por exemplo, há alguns textos que puderam ser abordados sobre a questão da formação do objeto *a*, mas esses novos passos na língua ainda não estão fundados como conceitos teóricos que passaram pela prova do tempo. Acontece a mesma coisa com a expressão "silêncio-em-si". Lacan não usava a expressão "silêncio-em-si", é verdade. Mas dizia: "fazer calar em si o diálogo, o discurso intermediário". Usava outra expressão.

Naturalmente, se eu tivesse ao meu lado um lacaniano, ele diria: "Mas isso não tem nada a ver com o silêncio-em-si!". Concordo, embora o texto da "Direção do tratamento" tenha sido escrito em plena época heideggeriana de Lacan. Logo, não creio que esteja tão afastado da expressão "fazer silêncio-em-si". Mas é verdade que, a partir do momento em que se diz "fazer silêncio-em-si", abre-se o vasto campo de todas as conotações dessa expressão e, efetivamente, não me deixo enganar, sei que existe mais ou menos o equivalente em diferentes domínios, domínios religiosos, domínios orientais etc. É como a palavra "significante". Para Lacan, a palavra "significante" não tem nada a ver com o seu sentido na lingüística. Entretanto, Lacan lançou essa expressão. Ele a utilizou, a fez sua, e hoje ela é nossa.

A expressão "silêncio-em-si" é, até agora, a melhor maneira que encontrei para dizer ou descrever o fato de que o analista se solta, se desembaraça, durante um momento, durante uma etapa, na sessão do seu trabalho e talvez também em outros momentos, desse diálogo interior, dessas coações do Eu, desses componentes constitutivos do Eu, desse espaço, desses ideais, do tempo, das imagens. É claro que ninguém se libera inteiramente, mas quero dizer que esse "silêncio-em-si" é um estado preparatório, um estado de geração possível de uma palavra pertinente.

Compreendo e agradeço-lhe a pergunta, porque isso me permite, justamente, separar-me de qualquer outra interpretação, mas conservando a expressão que, até agora, é a que me convém.

Pode haver uma interpretação que não seja enunciada pela voz?
Sim, podem existir interpretações que não são enunciadas pela voz.

Toda interpretação deve ter sua fonte no analista?
Respondo sem hesitar que sim. É o que marca, aliás, a assimetria do laço analítico.

A interpretação é uma interpretação da transferência?
Considerar a idéia de que a interpretação é uma interpretação sobre ou da transferência, ou uma interpretação que tem por objeto a transferência, está de acordo com os autores kleinianos. Eles a têm muito em conta pois, para eles e particularmente para Strachey, no seu célebre texto sobre a interpretação mutante, a transferência é o objeto ao qual se refere a interpretação.

Strachey escreveu dois textos, duas versões do mesmo texto, que intitulou "Efeitos e natureza da ação terapêutica da análise", cuja primeira versão não fala da interpretação que se refere à transferência, enquanto na segunda, efetivamente, ele apresenta o fato de que a interpretação mutante é uma interpretação que tem por objeto a transferência.

Logo, com Mélanie Klein e esses textos de Strachey, toda a Escola inglesa e muitas correntes depois vão defender a idéia, hoje consagrada, de que a interpretação se refere à transferência. Seria preciso um seminário inteiro para falar disso. Mas o ponto a que desejo chegar é que parece-me importante e, de qualquer forma, está implícito na minha maneira de abordar a interpretação nesta noite, considerar que a interpretação não é uma interpretação sobre a transferência, mas **uma atualização da transferência**. A interpretação é a expressão mais pura, mais direta, mais imediata, mais nua do fato de que, efetivamente, há um laço transferencial. Essa é uma primeira observação.

A segunda é que é verdade que se pode usar a palavra "interpretação" em diferentes sentidos e de certa forma abri-la a tal ponto que chega um momento em que não se sabe mais o que é uma interpretação. Também acontece que se possa acreditar, por exemplo, que é o analisando que faz uma interpretação.

Devemos nos entender. Eu diria que, cada vez que um analisando sonha, faz uma interpretação. Um sonho é uma interpretação do desejo. É por isso que Lacan dizia: "O desejo é a sua interpretação", já que, efetivamente, o desejo se expressa através de um sonho, se realiza através de um sonho; o sonho é a interpretação do desejo.

Logo, cada vez que o analisando faz uma formação do inconsciente, deixa vir a si uma formação do inconsciente, um derivado do inconsciente, existe então uma interpretação.

Mas quando falo de interpretação hoje, é outra coisa. Dou-lhe uma dignidade maior, uma altura mais importante. Creio que a interpretação, a ação de interpretar, o fato de que o analista seja o porta-voz da interpretação, é o que o distingue essencialmente do analisando.

Se existem coisas que marcam a assimetria entre o analista e o analisando, uma das mais importantes é certamente a interpretação. Logo, prefiro reservar a palavra "interpretação" para toda intervenção do analista, que seja gerada de certa maneira nele e que seja capaz de provocar no analisando as mesmas condições que a geraram no analista. Desse ponto de vista, permaneço em uma especificidade maior em relação ao termo "interpretação", referindo-o ao analista.

Quais são os efeitos da interpretação do analista no analisando?
Se o analisando chega a produzir formações do inconsciente, eu diria que são os melhores efeitos que uma interpretação do analista possa provocar. Isso é certo. Mas eu não chamaria isso de "interpretação". Essa talvez seja uma questão de terminologia.

Mas, em contrapartida, aproveito a ocasião para falar do fim do tratamento. Talvez seja necessário pensar nos efeitos mediatos da interpretação. Como a interpretação, ao longo de um processo de tratamento, conduz não apenas a uma mudança de estrutura, não apenas a ensinar ao analisando, como eu dizia, a transmitir-lhe uma certa flexibilidade para poder permutar de realidade, mas ainda, o fato de permutar de realidade conduz o analisando a terminar o seu tratamento? Essa é outra questão, que ainda não abordei.

VIII
A cura*

> *Apesar de tudo, a cura sempre tem um caráter de benefício [bien-fait] por acréscimo — como afirmei, para escândalo de alguns — mas o mecanismo (da análise) não é orientado para a cura como finalidade. Não digo nada que Freud já não tenha formulado poderosamente: toda inflexão em direção à cura como finalidade — fazendo da análise um meio puro e simples para um fim preciso — dá algo que estaria ligado ao meio mais curto e que só pode falsear a análise.***

A psicanálise foi, desde o início, um processo terapêutico e nunca deixou de sê-lo. A afirmação de Freud, em 1932, em *Novas conferências introdutórias sobre psicanálise*, segundo a qual "a psicanálise é a mais poderosa de todas as terapias",[1] em minha opinião ainda é válida em 1991. É inegável que a análise produz efeitos curativos. Ou seja: a análise produz efeitos de diminuição, e até de desaparecimento do sofrimento do paciente. São efeitos que se produzem em momentos vários do tratamento, às vezes depressa demais, desde as primeiras entrevistas, às vezes tardiamente, bem depois do término do tratamento e enfim, raramente —, pelo menos na minha experiência — por ocasião das últimas sessões.

Assim, devo admitir imediatamente que tais efeitos existem e são um dos resultados maiores que possamos esperar de uma análise. Até acrescento: creio firmemente que todo analista, quaisquer que sejam sua formação e sua orientação, tem uma responsabilidade, quase um dever ao qual não se pode subtrair, isto é, esperar — digo "esperar" — uma melhora nas posições subjetivas e objetivas do seu analisando.

---

* J.-D. Nasio, "La guérison: un point de vue lacanien", in *Esquisses Psychanalytiques*, nº15, primavera de 1991, p.179-88.
** J. Lacan, intervenção na sessão de 5 de fevereiro de 1952 da Sociedade Francesa de Psicanálise: "Le rendez-vous avec le psychanalyste", in *La Psychanalyse*, nº4, *Les psychoses*, PUF, 1958, p.309.

Entretanto, embora o alcance terapêutico da análise nos pareça incontestável, não podemos dizer que a cura, assim compreendida como diminuição ou desaparecimento do sofrimento ligado aos sintomas, seja um conceito psicanalítico. Também não podemos dizer que ela seja um objetivo para o qual o tratamento deva tender, nem um critério que nos permita avaliar os seus progressos, como aconteceu muito no passado. Em Londres, por exemplo, por volta de 1930, Edward Glover[2] perguntava quais eram os critérios por meio dos quais o analista media, estimava, avaliava os progressos da análise. Alguns diziam: "O estado desses pacientes melhorou, o desse outro se agravou, outro ainda ficou curado nesse ou naquele momento do tratamento."

Quanto a mim, penso que não podemos fazer da cura nem um conceito, nem um objetivo, nem um critério, o que equivale a não ceder diante da influência do modelo médico, que tende a hipostasiar essa cura, a lhe dar um estatuto, a elevá-la à dignidade de um conceito.

No que se refere a nós, na medida em que não pretendemos formalizar os efeitos terapêuticos da análise, a cura não suscita maior dificuldade. As dificuldades começam quando a palavra "cura", que tem um encanto particular, uma força, uma espécie de atração até na sua sonoridade, se impõe ao analista e exige deste que faça a sua teoria. O que logo salta aos olhos é que não existe conceito psicanalítico de cura, e que esta não pode ser uma finalidade que o analista deva perseguir na sua prática, como acontece na medicina. Veremos por quê.

Mas o que é, então, a cura? A cura é um valor imaginário, uma opinião, um preconceito, um pré-conceito, assim como o são a natureza, a felicidade ou a justiça. Com meus próprios termos, qualificarei a cura como idéia infecunda ou, mais exatamente, como automatismo mental infecundo. Mas esse pré-conceito, esse automatismo imaginário, apesar de tudo, tem efeitos positivos e negativos, no campo psicanalítico. Efeitos positivos que se revelam no analisando e efeitos negativos que se manifestam, principalmente, no analista.

Vamos examinar primeiro os efeitos positivos.

A cura no analisando

É certo que a idéia de cura, o pré-conceito da cura, considerada como eliminação do sofrimento ligado aos sintomas, está no centro da decisão de um paciente de consultar um psicanalista e da demanda de solicitar-lhe que seja desembaraçado do seu sofrimento. Como diz Lacan, "a cura é uma demanda que parte da voz do sofredor, de alguém que sofre por seu próprio corpo ou por seu pensamento".[3]

Efetivamente a cura é, antes de tudo, uma demanda de quem consulta. Mas essa demanda se alimenta de uma falsa imagem da cura. Ela está fundada sobre um mal-entendido básico, radical. Por que mal-entendido? Simplesmente porque o sofredor pede a cura a alguém, o psicanalista, aos olhos de quem a cura está longe de ter o valor de um ideal em si, a alguém que tende naturalmente a reservar a sua resposta quanto a esse pedido, a alguém que não oferece a cura.

Entretanto, mesmo inteiramente implicada nesse mal-entendido, essa demanda de cura é um fator indispensável ao início do processo analítico. Para começar uma análise e manter o esforço que o empreendimento analítico exige, é preciso – que o consulente se queixe dos seus sintomas e aspire à cura. Por que? Porque essa demanda de cura, que é um misto de queixas e expectativas, demanda que nem sempre é formulada de modo explícito e que o analista nem sempre sabe colocar para trabalhar, essa demanda já está carregada de transferência. Ela é o *primum movens* da análise. O simples fato de que um consulente esteja diante de um analista constitui a prova em ato da sua aspiração e da sua expectativa de ser curado, ou melhor, como dizia Freud em seus primeiros textos, da sua "expectativa crente". O consulente demanda e, ao fazer isso, ele crê. Crê no poder curativo e transformador que atribui ao procedimento da análise, assim como crê nos poderes da ciência, do saber e do desejo do analista.[4] Como podemos ver, esse é um primeiro passo em direção ao que se convencionou chamar, na terminologia lacaniana, de "sujeito suposto saber".[5]

A retificação subjetiva

Logo, o paciente demanda e crê. Quando eu dizia que o terapeuta nem sempre sabia por para trabalhar a demanda do paciente, queria introduzir a idéia, que reencontramos aqui, de um trabalho inicial de "limpeza" da demanda. É o que chamamos, com Lacan, de "retificação subjetiva".[6]

O que significa essa fórmula? A "retificação subjetiva" traduz a necessidade de modificar a relação do consulente com a demanda.

Freud não utiliza essa expressão, que aliás Lacan tirou de Ida Macalpine. Ele encontrou, em um dos seus textos sobre a transferência, a idéia de "retificação", à qual ele acrescentou "subjetiva". Se Freud não emprega exatamente essas palavras, não deixou de ter a intuição do seu significado. Quero citá-lo, porque é sempre interessante reencontrar nele a marca original de enunciados muito atuais:

> A partir do momento em que os médicos reconheceram claramente a importância do estado psíquico na cura, tiveram a idéia de não deixar mais ao doente o cuidado de decidir o grau da sua disponibilidade psíquica, mas, pelo contrário, *arrancar-lhe* deliberadamente o estado psíquico favorável, graças a meios apropriados. É com essa tentativa que se inicia o *tratamento psíquico* moderno.[8]

Note-se a força dos termos freudianos: "arrancar ao paciente". Na minha opinião, é o que Lacan entende com a fórmula "retificação subjetiva", e que também eu retomo. Eu me explico. Quando o paciente, nas primeiras entrevistas, em geral na primeira, expõe o seu sofrimento, o faz muitas vezes de maneira alusiva: "Sinto-me mal comigo mesmo", "Estou deprimido", "Não estou bem", "Estou agressivo" etc. Ora, depende de nossa maneira de escutá-lo, de nossa maneira de intervir ou de fazer perguntas, para que ele comece a perceber um outro modo de viver o seu sofrimento, uma outra maneira de manifestar a sua demanda de cura e para que se inicie de outra forma, mais vigorosamente, a transferência futura.

Sempre insisto, com os terapeutas em supervisão, na necessidade de definir o melhor possível, já nas primeiras entrevistas, os lugares de sofrimento. Insisto na obrigação de localizar corporalmente a dor — isso mesmo, "corporalmente" — e principalmente de fazer surgir outro tipo de queixa diferente da inicial, em geral demasiado elaborada conscientemente pelo analisando, antes de vir consultar-nos. Esse outro tipo de queixa se manifesta em mim, evidentemente, mas também apesar de mim, contra mim, sem que eu saiba. Por exemplo, é mais importante, na minha opinião, ouvir um sujeito falar do seu choro, e até de suas lágrimas sem motivo, dos rituais que acompanham os seus momentos de tristeza, do que ouvi-lo falar da sua "fadiga".

Vou tentar ser um pouco mais preciso. Há pacientes que vêm pela primeira vez dizendo que estão "cansados", que ora "estão bem", ora "não estão bem", e se alongam sobre o seu estado de depressão. Nesse caso, há uma pergunta que eu não hesito em fazer: "Você às vezes chora?". Em geral, eles respondem que sim. Eu lhes pergunto imediatamente: "Sozinho ou com outras pessoas, na presença de alguém, em especial?" Muitas vezes, eles respondem: "Sozinho". Acrescento: "Em que lugar da casa?" Um bom número deles me respondem: "No banheiro". Eu lhes direi por que, com ajuda de outros exemplos.

Vamos escutar, por exemplo, uma anoréxica. É mais importante estimulá-la a falar das circunstâncias nas quais ela está sujeita à impulsão incontrolável de provocar vômito do que ouvi-la falar da sua história conflituosa com a mãe. Quero dizer que, por ocasião das primeiras entrevistas, com as nossas intervenções e perguntas, temos que introduzir, de certa forma, um canto na relação do sujeito com a sua demanda, para permitir-lhe retificar a sua posição subjetiva em relação ao seu sofrimento, para modificar a maneira que ele tem de interpretar o seu sofrimento, experimentá-lo e vivê-lo. Principalmente, desejo expressar, aqui, a importância, para um psicanalista, de estar pronto, com esse tipo de pacientes e com os pacientes em geral, neuróticos em geral, a não se contentar com a história familiar nem com alusões a estados vagos e incertos. Nesse caso, é o Eu que fala.

Em contrapartida, partam à procura do sujeito do inconsciente! Partam à procura de todos os atos sintomáticos nos quais o sujeito é ultrapassado pelo seu ato. Mesmo que se trate de pacientes que não esperam nada de ninguém, resta uma chance, por tênue que seja, de poder suscitar uma surpresa. Em suma, fazer trabalhar a demanda do sofredor, isto é, proceder à retificação da sua posição subjetiva em relação à sua demanda, consiste em uma colocação em palavras dos momentos e experiências nos quais o paciente é ultrapassado pelo seu ato.

É necessário, para fazer tal retificação, saber tantos detalhes? Por que não se contentar com o que se apresenta nas evocações do paciente? O ganho não se refere, em nada, nem ao saber nem à informação. Para o analista, não se trata de uma manifestação do desejo de saber e ainda menos de um interrogatório policial. Muitos analistas não fazem perguntas, porque aprendemos — eis um exemplo de automatismo mental infecundo — que, durante a primeira entrevista, convém não fazê-las. Alguns analistas, especialmente anglo-saxônicos, defenderam e ainda defendem que o analista não deve fazer perguntas nem falar, mesmo por ocasião das primeiras entrevistas. Alguns até dizem que o analista não deve absolutamente intervir durante os três ou quatro primeiros meses do tratamento. Minha posição não é essa. Poderiam dizer que eu quero precipitar as coisas, andar mais rápido, segundo o meu estilo, que talvez seja peculiar, mas não é isso que determina a freqüência das minhas intervenções. Em geral, não intervenho muito e o paciente não fica ouvindo a minha voz o tempo todo. O que é importante para mim é aproveitar a oportunidade de acentuar as linhas de fenda que são apenas vislumbradas no relado da demanda inicial.

Dar lugar ao semblante

Com que finalidade intervir junto ao analisando? Não é para me informar, mas porque, procedendo assim, efetuando essa retificação subjetiva, segue-se um fenômeno curioso: manifestações sintomáticas pontuais e bem delimitadas, que ficariam de fora se não fizéssemos perguntas, são trazidas para o interior do campo da análise. E com isso, começa pouco a pouco a instaurar-se, a estabelecer-se uma conexão de natureza transferencial entre esses sintomas e nós, analistas, até que façamos parte do sintoma. Esse gênero de conexão é o índice maior da transferência.

A transferência supõe que comecemos pouco a pouco a interferir, a nos introduzir no sofrimento do outro. Só poderemos fazê-lo se entrarmos na cena, no roteiro, nos detalhes, na pontuação do discurso. É o que Lacan chama de "semblante", isto é, aquilo que desencadeia, abre, modula o discurso do analista, o que institui e inaugura, verdadeiramente, o discurso analítico. Assim, a demanda de cura feita no início da análise é substituída lenta e progressivamente por manifestações transferenciais. Freud diz: "Essa relação, que por brevidade se chama *transferência*, logo toma o lugar, no paciente, do desejo de cura ..."[9]

De fato, pouco a pouco o paciente instala um amor de transferência que, no início, se traduz por um clima muito positivo, cheio de cordialidade, em que a relação com o psicanalista é excelente. Tudo vai extraordinariamente bem. O sujeito vem às sessões com muito entusiasmo e interesse. Conta os seus sonhos, fala do seu passado, das vicissitudes do seu destino. E chega a outro patamar, que chamo de seqüência dolorosa da transferência.

Assim, demanda de cura, amor de transferência, seqüência dolorosa da transferência representam o encadeamento das etapas que fazem com que, progressivamente, o interesse inicial que o sujeito tinha pelo tratamento e pela cura seja esquecido. Verifiquem por si mesmos, reflitam, escutem os seus pacientes. Verão que aqueles que estão no divã há um ano, um ano e meio, já não estão mais à espera tão particular da cura, como estavam no começo. A situação mudou. Não estão mais na mesma posição subjetiva.

A ambivalência do desejo de cura

Como a demanda de cura se transformou em transferência, mais exatamente em neurose de transferência, em doença da transferência? A característica essencial da transferência, é, como sabemos, o fato de ser a reprodução de um novo estado neurótico. *Como aquele que quer se curar aceita entrar nesse estado doentio, mórbido em certos aspectos, que nós chamamos de transferência?*

Vejo que escolheram deliberadamente termos enfatizados, para expressar bem que tais relações transferenciais, doentias e mórbidas estão sempre presentes nas pessoas com as quais trabalhamos. Não devemos ter medo de pensar e dizer isso, porque, ao não dissimularmos essa faceta da nossa prática, podemos proceder de maneira mais correta e, de qualquer forma, menos falsa. Repito a pergunta de vocês: como alguém que quer se curar se empenha numa relação psicanalítica portadora de uma nova doença? É porque aquele mesmo que quer se curar *também quer não se curar*. Não só não quer curar-se, mas também procura instaurar condições favoráveis à manutenção da sua doença. A demanda de cura é pois equívoca: por um lado, ela não existe sem a força de acreditar na análise ou naquilo que pode resultar dela, mesmo que essa expectativa permaneça indeterminada, força que qualificaremos de positiva. Mas a demanda de cura encerra, por outro lado, o desejo de não curar-se, e conseqüentemente de não se separar dos seus sintomas e continuar refugiando-se na doença.

Duas citações de Freud confirmam isso. Primeiro: "Temos constatado que os sintomas mórbidos são uma parte da atividade amorosa do indivíduo ou mesmo *a sua vida amorosa inteira*."[10] Esse ponto de vista freudiano parece essencial, pois torna equivalentes sintomas neuróticos e maneira de amar. Sofrer nos e pelos seus sintomas é um modo de amar e, em primeiro lugar, de amar os seus sintomas. Todos conhecem a famosa observação de Freud, em um de seus manuscritos dirigido a Fliess, em que ele trata das psicoses: "Esses doentes amam o seu delírio como se amam a si mesmos."[11] Essa citação pode aplicar-se igualmente aos sintomas neuróticos e aos sintomas mórbidos que são, pois, uma parte importante da atividade amorosa de um indivíduo. E Freud acrescenta a essa primeira citação: "... as próprias pulsões sexuais não querem de modo algum renunciar à satisfação que lhes dá o substituto fabricado pela doença."[12] Por "substituto" devemos entender o sintoma. Quando alguém ama o seu sofrimento, quando não deseja curar-se, é incurável. A menos que a terapêutica aja por via indireta. Ou seja, na medida em que o desejo de não curar-se é um obstáculo muito importante e muito forte, é impossível tomá-lo pela frente num tratamento, em um trabalho de análise; o único meio que temos de contornar esse obstáculo é optar por uma via indireta.

Qual é essa via indireta? Justamente, a criação de uma nova neurose: a neurose de transferência, destinada a responder, em primeira instância, ao desejo de doença do analisando, a fim de chegar, num segundo tempo, a libertá-lo desse desejo.

A relação do psicanalista com a cura

Voltemos ao nosso ponto de partida e abordemos agora a relação do analista com a cura. Dissemos que a cura não é nem um conceito psicanalítico nem um fim em si, para o psicanalista. Mas não justificamos essa proposição. Devemos pois dar um passo a mais e explicar por que a idéia de cura não é um conceito. Para que exista um conceito, para que um termo tenha acesso a essa dignidade, uma condição mínima é requerida: que esse termo se integre, de modo rigoroso e lógico, no conjunto dos conceitos de um corpus teórico. Esse é um critério simples, robusto e muito correto. Depois, o termo "cura", a própria idéia de cura, o pré-conceito de cura entra em nítida contradição com a concepção psicanalítica que temos da neurose e, mais particularmente, com o conceito de sofrimento. Digamos, esquematicamente, que dois tipos de sofrimento habitam o neurótico: o que é vivido sob a forma do sintoma, e um outro sofrimento, não-vivido, inconsciente, invisível, imperceptível, que os sintomas tentam contemporizar, no limite da resolução e até da cura. Os sintomas são a expressão de uma tentativa de autocura do Eu. Uma tentativa inábil, sem dúvida ineficaz do Eu, mas assim mesmo uma tentativa, inscrita no mesmo fio de uma resolução do intolerável sofrimento inconsciente.

Se caímos doentes de neurose, se temos medos, dores corporais, acessos de cólera inesperados, imprevistos, súbitos, se somos assaltados por esta ou aquela figura do espectro dos sintomas ditos neuróticos, devemos saber que eles são a expressão de uma luta no interior do Eu, de uma *luta invisível empreendida pelo Eu*, que tenta tornar mais tolerável uma dor inconsciente. Os sintomas são pois a expressão de uma batalha. Constituem a parte visível de um combate inconsciente do Eu contra um sofrimento inconsciente, intolerável para o Eu, e visam torná-lo mais aceitável.

Isso explica em parte a frase de Freud, citada acima, a respeito do neurótico que ama seus sintomas como a si mesmo. Ama os seus sintomas porque eles são a expressão de uma defesa, da tentativa de resolver uma dor penosa e inconsciente.

Nossa concepção psicanalítica dos sintomas é pois, por assim dizer, uma concepção positiva: eles exprimem um movimento positivo do Eu para desembaraçar-se de um sofrimento intolerável. Logo, ao contrário do médico, que quer suprimir o sintoma, nós vamos nos servir dele como de uma via de entrada indireta, a fim de trabalhar para dissipar a dor penosa e inconsciente. Evidentemente, essa tentativa indireta, através do sintoma, não corresponde a um procedimento estratégico nem segue um projeto definido e preciso. Compreendemos agora por que não podemos fazer nossa e integrar à nossa teoria a idéia de cura como eliminação dos sintomas. Querer eliminar os sintomas seria como querer fazer com que os sonhos desaparecessem, com que as vozes do inconsciente se calassem.[13]

A cura não é nem um conceito nem um alvo

Assim como não é um conceito, a cura também não é um alvo. Isso é verdade, mesmo que a concebamos como uma mudança, uma modificação estrutural do psiquismo, ou ainda, segundo Freud, como uma "reorganização do Eu". Efetivamente, Freud fala de ampliação do Eu e define a cura como a produção de um ser psíquico novo. Mesmo assim concebida, a cura continua sendo uma idéia, um ideal vago, afinal nocivo à análise e ao psicanalista.

Escutemos ainda duas frases de Freud sobre o lugar que a cura ocupa no espírito do terapeuta. Em 1927, ele escreve: "... o doente não tem grande vantagem em que, para o médico, o interesse terapêutico seja de predominância afetiva. O melhor para ele é que o médico trabalhe com sangue frio e o mais corretamente possível".[14]

Muito antes, em 1912, ele confessou: "Digo-me muitas vezes, para tranqüilizar a minha consciência: antes de tudo, não querer curar, mas aprender e ganhar dinheiro! São as representações de finalidades conscientes que são as mais utilizáveis."[15]

De fato, se o analista institui um projeto curativo para a análise, se conscientemente ele se diz: "É preciso que consigamos isso", ele se arrisca não só a atribuir limites artificiais para o trabalho analítico e orientar confusamente a sua participação no nível da escuta, mas também a seguir a tendência afetiva mais perigosa da contratransferência, aquela que mais ameaça o analista: o orgulho terapêutico. Essa pretensão se exprime sob a forma mais conhecida do narcisismo do terapeuta: "Se a cura é um objetivo, o sucesso ou fracasso da sua obtenção só dependem de mim." Então, a idéia de alvo situa imediatamente o terapeuta em uma posição pretensiosa de falsa responsabilidade.

A fim de lembrar ao analista a humildade necessária para cumprir a sua função, Freud e Lacan elaboraram, cada um à sua maneira, fórmulas muito inspiradas. Freud retomou o aforismo do médico anatomista notável que foi Ambroise Paré. Para enfatizar os limites da sua arte e pensando no doente do qual se ocupava, Ambroise Paré enunciou: "Eu o trato, Deus o cura."[16] Aforismo que traduziríamos assim: "Eu o escuto, presto-me ao jogo das forças pulsionais, a psicanálise o cura." Lacan teria completado essa fórmula dizendo: "Eu o escuto e a psicanálise o cura ... por acréscimo."

Lacan repetia muitas vezes essa fórmula da cura compreendida como a supressão do sofrimento dos sintomas e limitada a ser um efeito produzido por acréscimo.

Para terminar, gostaria de lembrar aqui alguns trechos de Lacan:

> ... a cura [é um] benefício por acréscimo do tratamento psicanalítico; ele (o analista) se abstém de todo abuso do desejo de curar.[17]

> Lembro-me de ter provocado indignação ... dizendo que, na análise, a cura vinha, de certa forma, por acréscimo. Viram nisso não sei que desprezo por aquele de quem somos encarregados, por aquele que sofre.

Eu estava falando de um ponto de vista metodológico. É claro que a nossa justificação, assim como o nosso dever, é melhorar a posição do sujeito. E afirmo que nada é mais vacilante, no campo em que estamos, do que o conceito de cura.[18]

Em uma intervenção, aliás pouco conhecida, no dia 5 de fevereiro de 1957, publicada em *La Psychanalyse* nº4,[19] Lacan fala da cura como um "benefício por acréscimo". Retoma muitas vezes a expressão "por acréscimo", para marcar precisamente um "algo mais", um "além disso". Além de alguma coisa que já estaria adquirida. "Adquirida", que se deve entender como a própria relação analítica, como o engajamento transferencial entre o analisando e o analista. É verdade que a expressão "por acréscimo" tem um antecedente nesta frase notável de Freud:

> A eliminação dos sintomas de sofrimento não é procurada [pelo terapeuta] como objetivo particular, mas, sob a condição de uma conduta rigorosa da análise, ela ocorre, por assim dizer, como um *benefício anexo*.[20]

Freud não utiliza a expressão "por acréscimo", mas usa o vocábulo "anexo". Anexo a quê? Anexo ao efeito principal, que é a reorganização do Eu em benefício do Isso.

Quanto a mim, diria em conclusão, sempre com o desejo de atenuar essa pretensão, esse orgulho terapêutico do analista: a cura não é um objetivo que o analista deve atingir, mas um efeito secundário da análise que o analista pode esperar.

NOTAS

1. S. Freud, XXXI[a] conferência, "Eclaircissements, applications, orientations", in *Nouvelles conférences d'introduction à la psychanalyse*, Paris, Gallimard, 1984, Cf. p.205: "Comparada aos outros processos de psicoterapia, a psicanálise é, sem dúvida alguma, o mais poderoso".
2. Cf. E. Glover, *Technique de la psychanalyse*, Paris, PUF, 1958.
3. J. Lacan, *Télevision*, Paris, Seuil, 1974, p.17.
4. S. Freud, "Traitement psychique, (traitement d'âme)", (1890), in *Résultats, idées, problèmes, 1890-1920*, Paris, 1984, p.11.
5. J. Lacan, cf. por exemplo: "Desde que exista, de algum modo, o sujeito suposto saber — que abreviei hoje no quadro, pela fórmula S.s.S. — há transferência.", in *Les quatre concepts fondamentaux de la psychanalyse*,

Livro XI (1964), Paris, Seuil, col. Le Champ Freudien, 1973, p.210; col. Points, n°217, 1990, p.258. Cf. também: "... essa transferência, eu a articulo com o 'sujeito suposto saber'", in *Télévision*, *op.cit.*, p.49.

6. J. Lacan, "La direction de la cure et les principes de son pouvoir", in *Écrits*, Paris, Seuil, 1966, p.601.

7. I. Macalpine, "L'évolution du transfert", in *Revue Française de Psychanalyse*, n°3, tomo XXXVI, maio de 1972, p.445-74.

8. S. Freud, "Traitement psychique (traitement d'âme)" (1890), in *Résultats, idées, problèmes*, op.cit., p.12 ("arrancar", grifado por mim; "tratamento psíquico", grifo do autor).

9. S. Freud, *Sigmund Freud présenté par lui-même*, Paris, Gallimard, 1984, p.71 ("transferência", sublinhado pelo autor).

10. S. Freud, *Cinq leçons sur la psychanalyse*, Paris, Payot., 1989, p.59.

11. S. Freud, "21. Manuscrit H. Lettre à Fliess du 24.01.1895", in *La naissance de la psychanalyse*, Paris, PUF, 1979, p.101.

12. S. Freud, *Cinq leçons sur la psychanalyse,* op.cit., p.59.

13. Cf. "Psychanalyse et guérison", documento da jornada de estudos de outubro de 1987 da Escola Propedêutica do Conhecimento do Inconsciente (publicação interna).

14. S. Freud, "Postface" (1927), in *La question de l'analyse profane*, Paris, Gallimard, 1985, p.146.

15. S. Freud, C.G. Jung, "Lettre du 25.1.1909", in *Correspondance*, I, 1906-1909, Paris, Gallimard, 1975, p.278.

16. Cf. S. Freud, "Conseils aux médecins sur le traitement analytique", in *La technique psychanalytique*, Paris, PUF, 1981.

17. J. Lacan, "Variantes de la cure-type", in *Écrits*, op.cit., p.324.

18. J. Lacan, "L'angoisse", 1962-63, inédito, seminário do dia 12 de dezembro de 1962.

19. Cf. supra, a epígrafe deste artigo.

20. S. Freud, "'Psychanalyse' et 'théorie de la libido'", in *Résultats, idées, problèmes, II, 1921-1938*, Paris, PUF, 1985, p.69.

ÍNDICE GERAL

I. A Técnica Analítica

Abertura ♦ *Montar o cenário para que a verdade apareça* ♦ *As diferentes fases do tratamento: retificação subjetiva, sugestão, neurose de transferência e intepretação* ♦ *Freud hipnotizador* ♦ *O método catártico* ♦ *A surpresa* ♦ *A coerção associativa e a resistência* ♦ *Abstractus do analisando*

II. O Caráter de Analisabilidade

Nem todo paciente que nos consulta é analisável ♦ *Neuroses de transferência e neuroses narcísicas* ♦ *Realidade psíquica local* ♦ *O bom senso* ♦ *As neuroses de transferência* ♦ *A neurose de transferência: uma neoformação psíquica* ♦ *A expectativa terapêutica* ♦ *A expectativa de pesquisa* ♦ *A experiência ética* ♦ *Dois níveis de compreensão da transferência: o nível matricial e o nível da significação* ♦ *A transferência é uma pulsão: pulsão analítica* ♦ *O Gozo fálico* ♦ *Critério de analisabilidade: a capacidade de ser afetado pela pulsão* ♦ *Nível da significação da transferência* ♦ *A significação transferencial* ♦ *Diferença entre psicoterapia e psicanálise* ♦ *O desejo do analista* ♦ *Demandas de amor* ♦ *A transferência faz surgir a pulsão, o desejo do analista faz falar* ♦ *Elementos de apreciação para passar ao divã* ♦ *Respostas às perguntas*

III. A NATUREZA DA TRANSFERÊNCIA

Formar a percepção sutil do psicanalista ♦ *A seqüência dolorosa da transferência* ♦ *A transferência é uma pulsão: pulsão fálica* ♦ *Primeiro nível: matricial* ♦ *Segundo nível: a significação* ♦ *O nível matricial da transferência* ♦ *Critério de analisabilidade: ser afetado pela pulsão* ♦ *Discordância temporal: o Eu vai mais rápido que a pulsão* ♦ *A criança e o espelho* ♦ *O desejo do analista* ♦ *O nível da significação* ♦ *A entrada na neurose de transferência* ♦ *Respostas às perguntas*

IV. A SEQÜÊNCIA DOLOROSA DA TRANSFERÊNCIA

A transferência fantasística ♦ *O manejo da transferência* ♦ *Os sinais indicadores da passagem da seqüência dolorosa da transferência* ♦ *Identificação do Eu do analisando com o falo imaginário* ♦ *Falicização do ser no analisando* ♦ *O analista representa o indizível da dor e está dissociado* ♦ *O Eu se faz objeto da pulsão* ♦ *A transferência é uma fantasia* ♦ *A dor de existir, a dor como falta*

V. A CONTRATRANSFERÊNCIA

Definição ♦ *Histórico* ♦ *A contratransferência* ♦ *Nem todo mundo pode ser psicanalista* ♦ *A contratransferência: uma resistência do analista?* ♦ *O psicanalista e a surpresa* ♦ *Aspectos clínicos da contratransferência: duas correntes teóricas* ♦ *Diferenças entre resistência de transferência e resistência da contratransferência* ♦ *Surgimento do Sujeito do inconsciente* ♦ *A resistência de transferência* ♦ *Nossa posição sobre a contratransferência: uma questão de ordem ética* ♦ *A angústia do analista: signo da iminência de um perigo* ♦ *Respostas às perguntas*

VI. A CONTRATRANSFERÊNCIA E O LUGAR DO ANALISTA

*Em resumo ♦ A contratransferência é o lugar do analista ♦
A contratransferência como superinvestimento de i(a) ♦ O lugar
do analista ♦ Mudança de realidade ♦ O "ponto de mira" ♦ Fazer
"silêncio-em-si" ♦ Fazer "silêncio-em-si": lugar do Gozo ♦
O lugar do analista e o seu ser ♦ Diferença entre fazer
"silêncio-em-si" e ficar sem voz ♦ Ocupar o seu lugar implica um
deslocamento psíquico ♦ Como escutamos o inconsciente? ♦
Existe um só inconsciente na relação analítica ♦ Dor e luto ♦
O analista é propelido e desarmado ♦ Exemplo clínico: uma
fantasia de gravidez num analista homem ♦ Exemplo tirado da
literatura: uma percepção pouco comum ♦ Respostas às perguntas*

VII. A INTERPRETAÇÃO

*O que a interpretação não é ♦ Definição da interpretação ♦
A interpretação significante ♦ Características de uma fala
interpretativa ♦ Como dizer a verdade às crianças ♦ Como
o analisando recebe a interpretação? ♦ Exemplo clínico: uma
fantasia olfativa ♦ Reconstrução no a posteriori ♦
Respostas às perguntas*

VIII. A CURA

*A cura no analisando ♦ A retificação subjetiva ♦ Dar
lugar ao semblante ♦ A ambivalência do desejo de cura ♦
A relação do psicanalista com a cura ♦ A cura não é nem
um conceito nem um alvo ♦ Notas*

Coleção Transmissão da Psicanálise

Não Há Relação Sexual
Alain Badiou e Barbara Cassin

Fundamentos da Psicanálise de Freud a Lacan
(4 volumes)
Marco Antonio Coutinho Jorge

Histeria e Sexualidade

Transexualidade
Marco Antonio Coutinho Jorge; Natália Pereira Travassos

Por Amor a Freud
Hilda Doolittle

A Criança do Espelho
Françoise Dolto e J.-D. Nasio

O Pai e Sua Função em Psicanálise
Joël Dor

Introdução Clínica a Freud

Introdução Clínica à Psicanálise Lacaniana
Bruce Fink

A Psicanálise de Crianças e o Lugar dos Pais
Alba Flesler

A Vocação do Exílio
Betty Fuks

A Psicanálise e o Religioso
Phillipe Julien

Alguma Vez É Só Sexo?

Gozo

O Que É Loucura?

Simplesmente Bipolar
Darian Leader

Freud e a descoberta do inconsciente
Octave Mannoni

5 Lições sobre a Teoria de Jacques Lacan

9 Lições sobre Arte e Psicanálise

Como Agir com um Adolescente Difícil?

Como Trabalha um Psicanalista?

A Depressão É a Perda de uma Ilusão

Dez Lições de Vida, Sofrimento e Amor

A Dor de Amar

A Dor Física

A Fantasia

Os Grandes Casos de Psicose

A Histeria

Introdução à Topologia de Lacan

Introdução às Obras de Freud, Ferenczi, Groddeck, Klein, Winnicott, Dolto, Lacan

Lições sobre os 7 Conceitos Cruciais da Psicanálise

O Livro da Dor e do Amor

O Olhar em Psicanálise

Os Olhos de Laura

Por Que Repetimos os Mesmos Erros?

O Prazer de Ler Freud

Psicossomática

O Silêncio na Psicanálise

Sim, a Psicanálise Cura!
J.-D. Nasio

Guimarães Rosa e a Psicanálise
Tania Rivera

A Análise e o Arquivo

Dicionário Amoroso da Psicanálise

Em Defesa da Psicanálise

O Eu Soberano

Freud — Mas Por Que Tanto Ódio?

Lacan, a Despeito de Tudo e de Todos

O Paciente, o Terapeuta e o Estado

A Parte Obscura de Nós Mesmos

Retorno à Questão Judaica

Sigmund Freud na sua Época e em Nosso Tempo
Elisabeth Roudinesco

O Inconsciente a Céu Aberto da Psicose
Colette Soler

1ª EDIÇÃO [1999] 14 reimpressões

ESTA OBRA FOI COMPOSTA POR TOPTEXTOS EDIÇÕES GRÁFICAS
EM TIMES NEW ROMAN E IMPRESSA EM OFSETE PELA
GRÁFICA BARTIRA SOBRE PAPEL ALTA ALVURA DA SUZANO S.A.
PARA A EDITORA SCHWARCZ EM JUNHO DE 2025

A marca FSC® é a garantia de que a madeira utilizada na fabricação do papel deste livro provém de florestas que foram gerenciadas de maneira ambientalmente correta, socialmente justa e economicamente viável, além de outras fontes de origem controlada.